바보들은 항상 결심만 한다

바보들은 항상 결심만 한다

팻 맥라건 지음 | 윤희기 옮김

차례
CONTENTS

서문

켄 블랜차드(『1분 매니저』, 『겅호』, 『하이파이브』 저자)

많은 사람들이 아직 '변화'에 익숙하지 못한 것 같습니다. 내가 서문을 썼던 『누가 내 치즈를 옮겼을까?』의 대성공이 그 사실을 분명히 보여줍니다. 끊임없이 치즈를 찾아나서야 하는 이 세상에서 우리는 환호성을 울리기도 하고, 당혹해하기도 하고, 때로는 무력감에 사로잡히기도 합니다. 이제는 우리의 역할과 반응에 대해 다시 한 번 생각해 보아야 합니다.

이 책은 『누가 내 치즈를 옮겼을까?』의 뒤를 잇는 책으로, 『누가 내 치즈를 옮겼을까?』에서 미처 제시하지 못한 '변화'에 대한 풍부한 지식과 '어떻게 변화해야' 하는지에 대한 구체적이고 현실적인 실천방안이 녹아 있습니다. 변화를 주제로 다룬 일종의 '실천 안내서'로 보면 좋습니다.

요컨대 핵심은, 이 책에서 제시된 통찰과 지혜로 내면의 잠재 능력을 캐내고 그것을 내세울 수 있다는 것입니다. 모든 것은 여러분의 손에 달려 있습니다.

능력발휘나 변화에 관한 책은 많이 있습니다. 그러나 이 분야와 관련된 책 중에서도 『바보들은 항상 결심만 한다』는 특별한 위치에 있는 책입니다. 이 책은 아주 단순하면서도 누구든지 쉽게 이해할 수 있는 방식으로 심오한 생각들을 다루고 있습니다. 길지 않은 분량이지만 그 안에 중요한 시각과 폭넓은 견해가 모두 담겨 있습니다. 실용적인 성격의 책인 동시에 직장인과 같은 변화 속에 노출되어 있는 사람들을 깊게 이해하고 쓰여진 책입니다.

특별히 『바보들은 항상 결심만 한다』는 신념, 품성, 행동이 우리 자신을 창조하고 내면의 세계를 창조한다는 사실을 분명히 보여주고 있습니다. 또한 우리가 무슨 일을 하든 어떤 지위에 있든, 변화가 격랑처럼 몰아치는 세계 속에서 어떻게 하면 능력 있는 키잡이가 될 수 있는지를 보여주고 있습니다.

팻 맥라건은 변화 관리 분야의 전문가로 수년 동안 경영진 모임에서나 비즈니스 현장에서 변화를 연구한 사람입니다. 경영진, 리더십 그룹, 실무진, 그리고 각 개인들 – 그 누구든, 새로

바보들은
항상
결심만 한다

운 방향과 도전에 직면하여 도움이 필요한 사람들 곁에 그녀는 늘 함께 있었습니다. 어느 조직이든, 어떤 공장이든, 어떤 사람들이든, 어느 나라든, 그녀는 가는 곳마다 변화를 지지하고 나섰던 인물입니다.

따라서 그녀가 이 책에서 다룬 내용들은 그냥 유행을 쫓아 포착한 아이디어가 아닙니다. 개인적인 차원에서 직장이라는 조직에서 변화가 어떻게 일어나는지, 다양한 경험과 오랜 동안의 연구 끝에 나온 결실입니다. 소박하고 작은 책이지만 이 안에 풍부한 지식과 경험이 녹아 있습니다. 그러면서도 신선한 실천방안으로, 언제든 활용 가능한 행동지침을 제시하고 있습니다.

예를 들자면, 변화에 대한 저항(거부, 두려움과 같은 반응)을 회피해야 할 문제가 아니라 주의를 요하는 각성의 신호로 본 것, 리더를 완벽함을 내세워야 하는 인물이 아니라 계속 공부에 전념해야 하는 학습자로 본 것, 감정을 부인하고 부정해야 할 것이 아니라 잘 활용해야 하는 장치로 보는 것 등은 매우 신선한 시각입니다.

그녀의 말에 따르면, 우리 자신이 하나의 기업인 것처럼 생각하여 행동해야 합니다. 그리고 세 번째 행동에 나와 있듯이,

직접 운전석에 앉아야 하고, 자기 관리를 남에게 떠넘기지 말아야 합니다. 무차별적으로 힘을 행사하라는 것이 아닙니다. 책임감을 가지고 합리적으로 능력을 발휘하라는 깨우침입니다.

'변화의 힘'을 내세워 변화를 일상으로 만들라는 그녀의 요구에 부응하는 것이야말로 나 자신은 물론 조직의 이익에 부합되는 일임을 이 책을 통해 알게 될 것입니다.

이 책을
읽는
당신에게

에너지바를 먹어보신 적이 있습니까? 에너지바를 먹으면 잠자고 있던 당신의 힘과 능력이 깨어나 표면에 떠오릅니다. 『바보들은 항상 결심만 한다』는 바로 변화의 소용돌이에서 허우적대는 당신을 위한 에너지바입니다.

제가 이 책을 쓰게 된 동기는 지난 30여 년 동안 전 세계를 돌아다니며 컨설팅한 결과, 자신의 변화 능력을 제대로 평가하고 있는 사람이 없다는 결론에 도달했기 때문입니다. 많은 사람들이 자신의 능력을 펼쳐보이기는커녕, 오히려 환멸·두려움·비난의 감정에 사로잡혀, 정체와 의존의 힘에 눌려 있었습니다.

저는 우리 가슴 깊은 곳에 꼭꼭 숨어 있는 '변화의 힘'을 찾아내, 개인에게 또 사회 전체로 분출되어 이로 인해 더 나은 세계가 창조되기를 바랄 뿐입니다. 그것은 가능한 일입니다. 여러분, 아니 모두가 해낼 수 있는 일입니다. 문제는 '당신이 그런 의지를 가지고 있느냐' 하는 것뿐입니다.

직장이나 가정에서 여러분 자신은 '변화의 한 힘'입니다. 그러니 주변에서 일어나는 모든 변화에 적극적인 참여자임을 모든 사람에게 알리십시오. 동료 직원, CEO, 영업사원, 공장 노동자, 팀장, 부하, 아내, 남편, 어른, 아이 등 여러분이 알고 있는 모든 분들께 알리십시오. 이제부터 당신은 하고 싶은 역할을 선택할 수 있습니다. 주변에서 일어나는 일에 대해 어떻게 생각할 것인지, 그것 역시 선택할 수 있습니다. 행동도 선택할 수 있습니다. 이런 선택이 바로 여러분 '능력'의 핵심입니다. 그리고 능력은 자기자신에게 주는 선물이지 다른 사람이 베풀어 주는 선물이 아닙니다.

이 책은 개인이 자신의 능력에 힘을 실어 주는 책, 내면의 힘을 밖으로 표출시키는 능력을 키워주는 책입니다. 주로 직장에서의 능력에 초점을 맞춘 것이지만 사실은 우리 삶의 모든 영역에 관련된 것입니다. 당신이 직장에서 변화의 힘을 개발한다면 무슨 일을 하든, 어디를 가든 능력 있는 사람이 될 수 있습니다.

바보들은
항상
결심만 한다

이 책에서 저는 다만 여러분이 이미 알고 있지만 실행에 옮기지 못하고 있는 것을 다시 한 번 상기시키는 것에 불과합니다. 이 세상이 바로 여러분의 행동이나 관심사와 깊이 관련되어 있다는 사실을 깨닫게 해줄 뿐입니다. 이것이 바로 여러분이 바깥으로 표출할 수 있는 영향력의 한 부분입니다. 생각 또한 세계를 만듭니다. 내적 세계 말입니다.

이것은 실로 엄청난 힘입니다. 이 책이 바로 그 힘을 배우고 습득하고 활용하는 데 작은 밑거름이 되었으면 합니다. 이 책에 담긴 여러 이야기를 읽으며, 잠든 영혼을 깨우고 동시에 재미있고 유익한 메시지를 많이 만나길 바랍니다. 그리고 '변화' 가 일으킨 거친 파도를 뚫고 항해하는 데 작은 도움이 되었으면 합니다.

나중에라도 여러분에게 어떤 변화가 있었는지, 그리고 어떻게 헤쳐나갔는지 언제든지 알려주시면 감사하겠습니다.

팻 맥라건
(patmclagan@mclaganinternational.com)

변화의
능력을
내세워라

이 책은 일이나 그 일을 둘러싼 환경 속에서 일어나는 변화에 어떻게 대처하는지, 말하자면 '변화 대응 능력'에 관한 책입니다. 변화를 의미 있는 것으로 만들기 위해서는 변화를 즐기고 그 속으로 들어가야 합니다. 회피하면 아무 소용이 없습니다.

이 책을 통해 우리는 변화 속에서 성공하기 위해 필요한 시각과 실천사항을 배울 수 있습니다. 또한 삶과 일에 변화가 얼마나 중요한 역할을 하는지도 알게 될 것입니다. 더불어 변화가 우리 자신과 주변의 동료들에게 유익한 결과를 가져다주도록 변화를 이끌어가는 방법도 배우게 될 것입니다.

1장 강한 신념

행동을 이끄는 것은 신념입니다. 세상을 바라보는 눈 또한 신념에 의해 그 모양이 결정될 수 있습니다. 1장에서는 7가지 중요한 신념 영역을 검토하고 현재 지니고 있는 신념을 더욱 분명하게 인식하며 우리의 미래를 최선의 방향으로 이끌 신념을 선택하여 행동으로 이끌 수 있는 방법을 배우게 됩니다.

2장 강한 품성

나는 누구인가? 에 대한 답은 내가 지닌 힘의 주요 원천입니다. 우리가 "말보다는 행동이 더 큰 목소리를 낸다.(말보다는 행동이 더 설득력이 있다.)"라는 격언에 고개를 끄덕이는 이유가 바로 여기에 있습니다. 2장에서는 변화 속에서 개인의 효율성을 뒷받침할 수 있는 4가지 성격에 관해 설명합니다.

3장 강한 행동

당신이 취하는 행동은 신념, 개성, 실천으로 이끄는 능력이 한데 결합되어 나타난 것입니다. 3장에서는 목표한 일을 행동으로 옮기는 데 필요한 능력을 어떻게 개발할 것인지 배우게 됩니다. 행동으로 실천하는 능력을 갖춘 사람만이 개방과 참여의 시대에 성공적인 인물이 될 수 있기 때문입니다.

이렇게 세 개의 장(章)으로 구성된 이 책은 한 장만 읽어도 좋고, 두 장을 읽어도 좋고, 세 장 모두 읽어도 좋습니다. 또한 순서에 상관없이 읽어도 좋습니다. 필요와 관심에 따라 마음대로 읽으면 됩니다. 당신에겐 그럴 힘이 있습니다!

각 장 마지막에는 자가진단을 할 수 있는 설문이 있습니다. 어쩌면 각 장을 읽기 전에 그 설문부터 답하는 것이 더 유용할 수도 있습니다. 물론 이것도 당신의 판단에 맡깁니다.

이 책은 개인적인 성격이 강한 책입니다. 나는 당신을 동료로, 같이 배우는 친구로, 그리고 21세기를 함께 살아가야 하는 동시대의 시민으로 생각하며 이야기를 풀어나갈 생각입니다. 변화는 내 인생의 주요 관심사입니다. 내가 경험하고 배운 것을 여러 사람들과 같이 나눈다고 생각하니 흥이 저절로 생기는 것 같습니다.

잠시 '변화' 라는 주제에 대해 생각해 보는 것도 좋을 듯합니

바보들은
항상
결심만 한다

다. 이 책을 읽기 전에 잠시 최근에 – 아니면 지금 현재라도 –
겪었던 변화에 대해 생각해 보십시오.

• 당신 주변에서 일어나고 있는 변화, 그리고 당신
에게 영향을 미치는 변화들 중 전혀 손을 쓸 수 없는, 즉 억
제하거나 통제할 수 없는 변화는 무엇입니까?(친구의 죽음,
조직 운영을 바꾸는 규칙이나 법, 조직규모 축소 결정, 새로운
기술 등)

• 당신 주변에서 일어나고 있는 변화, 그리고 당신
에게 개인적으로 영향을 미치는 변화 가운데 다른 사람이
결정내린 것이면서도 아직은 당신이 영향력을 행사할 수
있는 변화는 무엇입니까?(업무 분담을 둘러싼 변화나 팀을 어
떻게 운영할 것인가에 관한 결정 등)

• 나이가 들어 인생의 또 다른 단계로 넘어갈 때 당
신의 삶에 일어난 변화는 무엇입니까?(아이가 학교에 들어간
다든지, 처지는 뱃살 때문에 고민스럽거나 혹은 현재 쓰지 않는
과거의 중요한 기술을 다시 활용해야겠다는 생각이 들거나 예

전에 한쪽에 밀어두었던 관심사를 다시 꺼내어 추구하고픈 생각 등)

　•이런 변화들 가운데 당신이 주도적으로 이끌어 가려고 애쓰는 변화는 어떤 것입니까?

　•외부에서 시작되어 당신의 삶에 영향을 미친 변화는 무엇입니까?

이 책을 읽고 생각하면서 이런 문제들의 해답을 찾다보면 당신은 나름의 안목을 키울 수 있을 것입니다.
　자, 이제 변화로 향한 즐거운 여행을 시작합시다!

제 **1** 장

강한 신념

제1장
강한 신념

변화에 관한 당신의 신념은 당신이 하는 일에 지대한 영향을 미칩니다. 따라서 변화에 대한 신념은 그 어떤 테크닉(기법, 기술, 솜씨, 혹은 역량)보다 더 중요합니다. 테크닉은 당신이 그것을 사용해야겠다고 생각할 때 필요한 것이며, 상황에 따라 달리 활용되기도 합니다. 그러나 신념은 다릅니다. 신념은 당신의 삶 전체에, 당신이 하는 모든 선택에 영향을 미칩니다. 당신이 본 것이든 보지 못한 것이든, 그 모든 것에 영향을 미치는 것이 신념입니다.

어느 기업의 팀장인 스탠은 사람들과 협상을 할 때 필요한 테크닉을 잘 알고 있습니다. 그러나 그는 사람들이 권위에 복

종해야 한다고 믿는, 이를테면 권위적인 사람입니다. 따라서 그는 협상 테크닉은 알고 있으면서도 언제 그 테크닉을 활용해야 하는지 제대로 인식하지 못하는 경우가 많습니다.

신념의 역사 1900년대 후반, 과학의 발전 덕분에 세상을 바라보는 시각이 크게 변화했습니다. 17세기 이후 사람들은 이성으로 우주를 이해하고 통제할 수 있다고 믿었습니다. 과학자들은 곧잘 이런 식의 이야기를 거리낌 없이 하곤 했습니다. "우리가 일단 법칙을 발견하고 나면 그 법칙을 이용해 미래를 결정할 수 있고, 사람들이 하는 일을 논리적으로 정리할 수 있으며, 인간을 위해 자연을 활용할 수 있다."

이런 생각이 조직이나 기구에게 희망의 빛을 던져 주었습니다. "사람들의 행동을 이해하고, 그 행동을 가장 효과적으로 관리하고 활용할 수 있는 방법이 무엇인지 파악하라. 그런 다음 고도의 효율성과 예측 가능성을 지닌 조직을 구성하라. 완벽한 구조를 창조하고, 조직표상에서 큰 업무 아래 작은 업무들을 적절히 배열하면서 각 업무를 분명하게 규정하라. 그리고 보상이 제대로 이루어지고 성과가 제대로 나타나도록 모든 일을 통제하고 조절할 수 있도록 하라." 이것이 바로 경영학자들이 끊임없이 되뇌이던 말이었습니다.

그러나 21세기에 들어서면서 우리가 알게 된 사실 하나는, 자연과 그에 속하는 모든 행위가 우리가 생각하는 것만큼 예측 가능한 것이 아니라는 것입니다. 완벽한 통제나 조절(일종의 안정)은 몽상에 불과합니다. 우리는 미래에 일어날 일을 결정할 수 없습니다. 물론 영향을 미칠 수는 있습니다. 그러나 우리가 바라는 대로 미래가 결정되리라고 100% 확신할 수는 없습니다. 실제로 우리의 노력에도 불구하고 그 결과가 엉뚱하게 나오는 경우가 종종 있습니다.

▶ 경영진이 인건비 삭감을 위해 과감하게 조직의 인원을 감축한다. 이런 조치가 당장에는 손익 계정에 긍정적인 영향을 미치지만, 인원을 감축하면서 중요한 인재들이 회사를 떠나고 결국 새로운 기술 개발에 장애가 생긴다. 그리고 남아 있는 직원들도 사기저하로 조직에 큰 기여를 하지 못하게 된다.

▶ 불만을 제기하는 고객들에게 직원들이 "그것은 내 업무가 아니다."라는 태도를 보인다. 그럴 경우 단기적으로 자신의 업무가 방해받지 않는 것처럼 느껴지지만 장기적으로 볼 때, 불만을 느낀 고객들이 경쟁사로 발길을 돌리게 되고 그러다 보면 사업이 위축되어 발전과 승진의 기회가 줄어들게 된다.

위의 두 예를 더 깊게 들여다보면 그 저변에 한 가지 그릇된 신념이 자리잡고 있음을 알 수 있습니다. 그것은 바로 당면한 문제만 해결하면 변화를 통제할 수 있다는 잘못된 생각입니다.

변화에 관한 당신의 신념은 무엇입니까? 앞으로 나오는 사항들을 읽으며 스스로를 찬찬히 돌아보고 당신이 하는 일에 진정으로 영향을 미치는 신념이 있다면 그것이 무엇인지 찾아보십시오. 아마 당신은 신념에는 다음의 두 가지 형태가 있음을 알게 될 것입니다.

말로 표현하는 신념(SAY beliefs) 당신이 말로만 떠들어대는 신념

행동의 신념(DO beliefs) 당신이 실제 행동으로 나타내는 신념

신념을 살피면서 오늘 당신에게 필요한 신념이 어제의 원칙에 '어긋나는' 것은 아닌지 주목해서 보십시오. 대개의 경우 당신의 신념에는 낡은 것도 들어 있으며, 그것을 새로운 관점에서 재해석한 경우도 있을 것입니다.

다음 부분으로 넘어가기 전에 제1장 맨 마지막에 있는 자가 진단 설문(당신의 신념 지수는?)을 먼저 권하고 싶습니다. 자가 진단은 당신이 지니고 있는 신념이 무엇인지 보다 분명하게 확인하는 데 도움이 됩니다. 또 당신의 생각을 2장, 3장에서 논의되는 사항들과 연계시키는 데도 도움이 될 것입니다.

바보들은
항상
결심만 한다

첫 번째 신념
무엇이 '정상' 인가

낡은 신념

안정이 정상이고,
변화는 예외다

새로운 신념

안정과 변화
모두 정상이다

당신은 안정과 변화가 뒤섞인 존재입니다. 조직도 마찬가지입니다. 중요한 것은 당신이나 당신이 다니는 회사 모두가 지속적으로 변화한다는 사실입니다. 문제는 빠르게 변화해야 한다는 것, 그것도 중심과 이성을 잃지 않고 계속 성장하고 성공을 거두면서 변화해야 한다는 것입니다.

오늘날 변화의 속도는 엄청나게 빠릅니다. 따라서 변화에 적응하고, 변화에 영향을 미칠 수 있는 능력을 보유하는 것이 무엇보다 중요합니다. 그런데 이것을 뒤집어놓고 보면 당신이 왜 존재하는지, 즉 당신을 '당신' 으로 만드는 것이 무엇인지를 알

인생은 안정과 변화다

고 스스로를 소중히 여기는 것이 보다 중요하다는 사실입니다. 마찬가지로 오늘날 당신의 조직을 있게 한 것이 무엇인지 깨닫고 그것을 가치 있게 만드는 것 또한 중요합니다.

변화가 중요하다면 '비전' '목적' '핵심 능력' 등과 같은 안정과 관련된 주제 역시 마찬가지입니다. 엄청나게 빠른 속도로 진행되는 변화, 그 이면에는 변화와 안정을 동전의 양면으로 생각해야 한다는 전제가 깔려 있습니다.

20세기에 이루어진 놀라운 과학적 발견 하나를 예로 들 수 있습니다. 과거에 우리는 에너지와 물질은 별개의 것이라고 생

바보들은
항상
결심만 한다

각했습니다. 그러나 지금은 에너지와 물질이 동일한 것의 다른 표현이라는 사실을 알게 되었습니다. 하나의 분자(물질)가 하나의 파장(에너지)으로 전환될 수 있기 때문입니다. 작은 양의 물질이 갑자기 분열되어 엄청난 에너지를 만들어내는 핵폭탄을 생각하면 쉽게 이해할 수 있습니다.

우리는 직장에 있을 때나 집에 있을 때, 그리고 사회생활을 할 때, 그 어느 때를 막론하고 분자(안정적인 것)인 동시에 파장(변화하는 것)이 되어야 합니다. 개인이나 조직에게 변화는 안정 없이 존재할 수 없고, 안정은 변화 없이 존재할 수 없습니다.

'무엇이 정상인가'에 대한
당신의 행동 신념은 무엇인가?

• "언제쯤이면 예전처럼 일할 수 있을까? 정말 참을 수가 없군."
• "옛날엔 괜찮았잖아. 그때로 돌아가자고."

당신이 자주 이런 식으로 얘기한다면 신념이 당신의 발목을 잡고 있는 경우입니다.

우리의 사고방식은 다음과 같은 새로운 사고방식으로 전환 되어야 합니다.

"자, 옛 시스템을 바탕으로 삼아 다른 한편으론 이런저런 변화들을 실행해 보자."

"어떤 변화가 있을건지 미리 알고 싶어. 그래야 언제든지 준비를 하지."

"오늘 최선을 다하자. 내일? 내일도 오늘처럼 최선을 다해야지. 안 그래?"

바보들은
항상
결심만 한다

회사의 능력 창출 프로젝트에 가장 목소리 높여 저항했던 사람 가운데 하나인 나이든 노조 대표위원이 동료들과 상사 앞에서 이런 말을 했다고 한다. "제가 이제야 깨달은 게 하나 있습니다. 옛날에도 마찬가지지만 지금도 아직 배워야 할 것이 너무도 많다는 겁니다. 정말 많은 세월이 흘렀지만 처음으로 출근하는 게 이렇게 흥분되고 즐거운 때가 없습니다. 하지만 아쉽게도 전 이제 6개월만 지나면 정년퇴직합니다. 제가 바라는 게 있다면, 남아 있는 여러분들이 일을 할 때 좀더 과감하고 진취적으로 참여했으면 하는 겁니다."

두 번째 신념
저항과 부정적인 감정

낡은 신념

새로운 신념

저항과 부정적인 감정은
변화를 방해한다

저항은 주의를
촉구하는 신호다

변화에 대한 저항이나 부정적인 반응이 나쁜 것만은 아닙니다. 저항이나 부정적인 반응은 인간관계를 변화시키고, '새로운' 행위가 주류의 행위가 되도록 이끌기 위해 여러 세력들이 모이는 과정으로 볼 필요가 있습니다.

저항과 부정적인 감정을 '버팀의 에너지'로 생각하십시오. 그것은 곧 어떤 변화가 가치 있는 변화인지 검증하기 위해 소리 높여 외치는 '안정의 목소리'이기도 합니다.

당신의 저항 신념(두 번째 신념)은 '무엇이 정상인가'의 신념(첫 번째 신념)과 관련이 있습니다. 저항 신념은 변화를 정상으로 보느냐, 아니냐에 관한 당신의 견해를 반영합니다. 만일 당신이 "안정이 정상이고, 변화는 예외다."라고 믿는다면, 그것은 저항과 부정적인 감정이 크게 작용한 것입니다.

어떻게 보면 저항과 부정적인 감정은 두려움에서 비롯됩니다. 즉, 자신의 자아를 보호하고 변화에 관한 모든 정보와 변화로 나아가야 한다는 압박감을 물리치고, 파멸로부터 당신을 보호하기 위해 전투도 불사한다는 외침인 것입니다.

그러나 당신이 "변화와 안정 모두가 정상이다."라고 믿는다면 그때의 저항은 변화와 대화하는 데 필요한 유일한 목소리가 됩니다. 이 목소리는 좋은 것도 아니고 나쁜 것도 아닙니다. 저항의 목소리는 이렇게 말합니다. "이것은 그대로 보존되어야 한다.""이 능력은 계속 유지해야 한다.""나에게는 이 힘과 권력이 계속 필요하다.""이것이 바로 내가 앞으로도 계속 유지해야 할 내 정체성의 본질적인 부분이다.""이건 굉장히 민감한 개인적인 영역이므로 정말 신중하게 다루어야 한다."

저항과 부정적인 감정은 또한 이런 목소리를 낼지도 모릅니다. "뭔가 새로운 것, 새로운 관점, 새로운 믿음, 새로운 능력을 개발하라.""이런저런 것들은 없애라. 그리고 당신의 삶과 당신의 업무를 새롭게 정립하라.""구태의연한 행동과 신념에서

바보들은
항상
결심만 한다

벗어나라." "지금은 당신의 구태의연한 사고방식에 도전장을 던질 시기이다." "낡은 신념은 미래에 중요할 다른 신념으로 대체하라."

또 다른 식으로 표현하면, 당신의 저항과 불안이 이런 목소리를 낼지도 모릅니다. "이제는 당신이 미지의 세계에 발을 내디딜 때이다. 모험을 하라!"

변화를 주도하는 사람은 다른 사람의 저항(당신 자신의 저항을 포함해서)을 뭔가 중요한 일이 일어나고 있다는 신호로 봅니다. 그것은 곧 과거부터 이어져온 어떤 능력과 자산을 존중하라는 신호이기도 합니다. 저항은 옛 특성과 특질을 재편성하여 새로운 목적에 기여하라는 외침입니다. 그 속에는 변화를 성공으로 이끌기 위해서 어떻게 구성되고 디자인되어야 하는지 그 메시지가 담겨 있습니다.

- '승(勝) – 패(敗)'의 신념 체계에서는 저항의 목소리가 이렇게 말한다. "우리가 팀 중심의 업무 체제로 전환을 하면 업무 능력이 탁월한 사람을 잃게 된다."

- 그러나 팀 중심 체제에서는 엄청난 에너지가 분출될 수 있

다. 문제는 각자의 업무 수행 능력을 존중하는 가운데 도전 정신을 불러일으킬 수 있는 팀 분위기와 환경의 창조이다. 고도의 능력을 지닌 사람들은 그런 환경 조성에 도움을 줄 수 있다.

혹시 당신이 스스로를 '변화의 희생자'로 생각한다면 저항과 부정적인 감정은 당신의 의지를 변화의 방향으로 돌리라는 신호가 됩니다. 즉 당신이 변화를 진정 '의식'해야 한다는 뜻입니다. 저항은 스스로가 위협당하고 있다고 느낄 때 나오는 반응입니다. 저항은 보통 부지불식간에 튀어나오는 무의식적인 어떤 것으로 어떤 느낌, 에너지의 상실, 단절되었다는 막연한 감정에서 비롯됩니다. 그래서 싸우거나 방어하거나, 달아나는 것, 아니면 그 자리에 꼼짝없이 얼어붙는 것, 아니면 순응하는 것 등의 자연스러운 반응이 나옵니다. 어쩌면 당신은 과거에 성공을 거뒀던 일을 더 열심히, 더 빠르게, 더 활기 있게 하려고 애쓰면서 변화를 '비정상적인 것'처럼 여기며 행동할 수도 있습니다. 그러나 이런 모든 반응들은 장기적인 안목에서 보면 바로 당신 자신을 해치는 반응입니다.

반면에 당신이 '저항과 부정적인 감정을 유익한 징조'라고 여긴다면, 저항과 부정적인 감정은 경고의 신호가 될 수 있습니다. 이를테면 과거에 행해진 일을 다시 한번 돌이켜보라는 신호이기도 하고, 새로운 시각으로 당신 주변을 둘러보라는 경고음이기도 합니다. 그리고 그것은 뭔가 새로운 일을 추구하되 시대에 뒤떨어지거나 역기능을 일으키는 요소가 있다면 그것을 과감히 청산하라는 신호일 수도 있습니다.

도전 곡선

저항과 부정적인 감정

물론 저항과 부정적인 감정은 변화에 '대항하는' 자세가 필요하다는 신호입니다. 변화 가운데는 단기적으로는 긍정적이지만 장기적으로는 부정적인 결과를 초래하는 것도 있을 수 있습니다. 만일 당신이 변화의 결과가 그렇게 나타나리라 확신한다면 당연히 변화에 저항하기로 결정할 것입니다.

변화에 언제 동조하고, 언제 저항할 것인가에 관해서는 정해진 공식이 없습니다. 중요한 것은 새로운 정보를 검토하여 신중히 선택하는 것입니다. 그렇게 하기 위해선 행동에 앞서 저항과 부정적인 감정을 분석하고, 이해하는 것이 필요합니다.

'저항과 부정적인 감정' 에 대한
당신의 '행동 신념' 은 무엇인가?

만일 당신이 종종 다음과 같은 행동을 보인다면……

• 주변에서 어떤 변화가 일어날 때 아무 생각 없이 즉각 반응한다.

- 변화가 일어날 때 뭔가 어울리지 않고 하찮다는 느낌이 들면서 '내 느낌은 이게 아닌데……' 라는 생각이 든다.
- 변화에 대해 다른 사람들이 저항하면 그것을 억누르는 방법을 찾는다.
- 변화가 미래에 어떤 이익을 주는지 시간을 두고 관찰하지 않고, 변화를 회피하거나 변화에 맞서 싸운다.
- 거부와 두려움이 앞선다.

이런 경우들은 당신의 신념이 당신을 방해하는 경우입니다. 대안으로 우리는 다음과 같은 것들을 생각해 볼 수 있습니다.

당신이나 다른 사람들의 저항과 부정적인 감정의 징후를 아무 판단 없이 인정하라.

이런 질문을 던져봐라. "여기서 정말 문제가 되는 것이 무엇인가?(나를 포함해 다른 사람이 내보이는) 저항은 대체 무엇을 보호하려고 그러는 것일까? 그것을 보호해서 장기적으로 우리가 얻을 수 있는 이익은 무엇인가? 만일 이익이 없다면, 지금 위협을 느끼고 있는 개인이나 집단의 존엄성과 관련해서, 지금 유지하고 보호하고 있는 것을 어떻게 처리해야 하는가?"

또 이렇게 물어보자. "변화에 대한 저항이 우리가 장기적인 성공을 거두기 위해 해야 할 일과 과연 어떤 관계가 있는가?"

그리고 이런 질문도 던져보자. "이 변화가 (나를 포함해 다른 사람들을) 정말 큰 딜레마에 빠뜨리는가?"

그러면 당신은 새롭게 변화하는 업무 환경 속에서 성공의 길로 들어서게 됩니다.

바보들은
항상
결심만 한다

어느 대기업의 한 여성 임원이 처음에는 새로운 업무 능력 관리 프로그램을 지지했다. 이 새로운 제도는 모든 임직원들에게 더 많은 정보를 제공하고 더 많은 참여를 요구하는 제도였다. 이 새로운 제도를 지지한 것은 그녀의 '말로 표현한' 신념이었다. 그러나 프로그램이 시작되면서 그녀는 자신의 지위와 권한을 더 분명하게 인식하고 사용해야 했다. 또한 시간을 두고서 직원들을 교육시키고, 다른 부서로 파견하고, 또 어떤 경우는 해고시키기도 해야 했다. 이를테면 그녀는 책임자로, 그리고 스스로 아이디어를 창출해야 하는 사람('행동'의 신념)으로 이용된 셈이었다. 그녀가 부정적인 감정을 드러냈고, 그것이 다른 사람의 눈에 분명히 보였다. 물론 그녀 자신은 알지 못했다. 그녀는 점점 더 통제를 가하기 시작했고, 자기 팀이나 다른 팀의 업무에서 많은 잘못을 찾아내어 비판을 가하기 시작했다. 누가 그녀의 생각에 반대하고 나서면 그녀는 논리적으로 다음과 같이 주장하고 나섰다. "우리 직원들은 아직 준비가 안 됐어요." "그들은 매우 의존적이랍니다." "그들을 주도면밀하게 감독할 필요가 있어요." "그들의 아이디어는 도무지 받아들일 수가 없어요."

그녀의 통제가 시작되자 주변의 사람들이 '옛날의 업무 방식'으로 돌아갔다. 사람들은 더 의존적으로 변해 갔고, 그래서 그녀의 신념은 자기만의 희망을 달성하려는 공허한 신념이 되고 말았다. 그녀는 자신의 저항 에너지를 '활용'

할 기회를 상실한 것이다. 사실 그녀의 저항 에너지는 직원들이 자기 관리 능력을 개발하는 데 도움을 주라는 신호였던 것이다. 그런데 그녀는 자신과 자신의 직원들이 더 나은 길로 들어서게 도와줄 수 있는 과정을 완전히 파괴시켜 버렸다.

몇 해 전에 나는 우리 회사에서 생산 기술에 관한 한 최고로 꼽히는 사람과 함께 일할 기회가 있었다. 그런데 그 사람은 자신이 사용하는 장비와 설비에 대해 늘 불평이었다. "이거 왜 이리 느려." "이걸로 어떻게 사람을 훈련시킨단 말야?" 그러나 새 장비를 구입하기로 결정했을 때 돌연 그 사람은 옛날 것이 더 좋다며 반대하고 나섰다. 그는 옛 장비의 장점에 대해서 칭찬을 아끼지 않았으며, 더 나아가 새 것과 비교해서 속도와 정밀성이 뛰어나다고 침이 마르도록 자랑하였다. 하지만 결국엔 그도 새 기술을 받아들이지 않을 수 없게 되었고, 서서히 새 장비를 가장 강력하게 옹호하는 사람으로 변했다. 물론 그렇게 되기까지에는 많은 시간이 필요했다. 그는 이렇게 말했다. "처음엔 내가 정신이 나갔던 모양입니다. 내 자리를 잃는 것이 아닌가 하는 생각이 들었던 거죠. 그때의 두려움이 이 뛰어난 새 기술에 잠시 등을 돌리게 만들었던 겁니다."

저항(두려움) 때문에 새 기술을 받아들이는 데 시간이 걸렸지만 결국 '버팀의 에너지' – 어느 한쪽 길을 고수하는 능력 – 는 장점으로 바뀌었다. 일단 새 기술을 통해 얻을 수 있는 이득이 분명해지자 그는 그 새로운 기술과 방법을 적극 옹호하고 나섰던 것이다. 그리고 사실 따지고 보면, 장비에 관한 그의 관심과 우려가 새로운 기술을 채택하는 데 일조를 한 셈이었다.

인터넷 시장이 후끈 달아오르면서 어느 유명 텔레콤 회사의 임원들은 새롭게 등장하고 급속도로 성장해 가는 경쟁사들의 도전을 수시로 받아야 했다. 이처럼 변화하는 환경 속에서 필요한 것은 노조와의 새로운 관계와 보다 협력적인 관계 설정이다. 그러나 회사 임원들 대부분은 '승 – 패'의 노사 윤리 속에서 성장한 사람들이었다. 이를테면 그들은 노조의 씨를 말리든지, 아니면 노조를 필요악으로 취급하여 회사측이 승리를 거두도록 훈련받은 사람들이었다.

한편, 노조 내에서도 강경파들은 임원들과 비슷한 '승 – 패' 전략에 빠져 있는 사람들로서, 경영진과 노동자들의 협력보다는 관계 단절을 고수하는 사람들이었다. 그러는 사이에 많은 중소기업들과 일부 강력한 경쟁사들이 시장을 잠식하기 시작했다. 더욱이 예전에 자사의 고유 영역이라고 안심하고 있던 분야까지도 점차 다국적 기업들이 파고들었다. 이런 산업 지형의 변화 속에서 그 회사의 노사 관계는 더 현대적이고 적극 협력할 수 있는 경영기법의 채택을 막는 걸림돌이 되었던 것이다. 그에 따라 주주들의 신뢰가 땅에 떨어지고, 경쟁사에서는 최고 기술자들을 빼가고, 별 수 없이 회사는 고통스러운 구조조정을 통한 인원 감축을 단행하지 않을 수 없게 되었다. 결국 회사나 노조 모두 돌이킬 수 없는 신뢰를 잃고 고통을 겪게 되었다.

만일 경영진이든 노조든 어느 한쪽이, 혹은 양쪽 모두가 다음과 같은 생각을 가지고 있었더라면 어떻게 되었을까? "우리는 지금 정말 새로운 시기를 맞이했다. 노사 모두가 승리할 수 있는 방법은 없을까? 커뮤니케이션 산업의 새로운 미래 창출을 위해 함께 일할 수 있는 방법은 무엇인가?" 저항과 두려움은 그 회사가 새로운 방향으로 진입해 들어갈 수 있는 기회를 박탈하고 경쟁사가 더욱 튼튼한 뿌리를 내리도록 도와준 것입니다.

변화는 언제 시작되는가

낡은 신념

새로운 신념

변화는 우리가 그것을
계획 할 때, 아니면
어쩔 수 없이 따라가야
할 때 시작된다

변화는
우리가 모르는
사이에 시작된다

1994년, 남아프리카 공화국에서 중요한 변화가 일어났습니다. 그 해는 남아프리카 공화국 최초로 민주적 선거가 실시된 해이고, 또 넬슨 만델라가 이끄는 당이 권력을 잡은 해이기도 했습니다. 주변에서는 남아프리카 공화국의 변화에 관해 말할 때 "1994년은 변화가 시작되었던 해"라고 언급했습니다. 미국에서 어떤 사람들은 남아프리카의 변화는 세계가 남아프리카에 제재 조치를 가하기 시작한 1980년대부터 시작된 것이라고도 했습니다. 아무튼 변화는, 우리가 그 변화를 의식하게 되면서부터 시작된 것처럼 보입니다.

그러나 현재 남아프리카에서 일어나고 있는 변화는 그 기원을 따지면 1900년대 중반, 아니 그 이전까지 거슬러 올라갑니다. 즉 그 당시 감옥에 투옥된 사람들의 용감한 행동, 인종 차별 정책이 경제적 재앙을 가져온다고 생각했던 일부 재계 지도자들의 투철한 신념, 종교 지도자, 청년, 원로 등이 인종 구분 없이 참여하여 국내외에서 활발하게 벌이던 토론, 대화, 그리고 개인적인 유대, 세계 경제에 동참하라는 국제사회의 압력 등이 따지고 보면 그 변화의 시작이었습니다. 당시에는 몇몇 그와 같은 변화의 행동들이 실패로 끝날 것 같았습니다. 그러나 그 모든 행동들이 실은 1994년 본격적으로 물결을 타기 시작한 대규모 변화의 예고편이었던 것입니다.

변화는 그것이 대세로 자리잡을 것이라고 인식하기 훨씬 전부터 시작된 것입니다. 이러한 변화들은 종종 '실패한' 프로젝트(포스트 잇은 처음에 붙었다가 떨어지는 풀을 보고 우연찮게 발명된 것이다.)로 시작되기도 하고, 소수가 주도하는 행동(처음 PC를 만들었던 사람들은 그 PC를 제록스에 납품하지 못했다.)으로 시작되기도 합니다. 또한 그 변화들은 우리가 받아들이려 하지 않거나 눈여겨보지도 않는, 어떤 통상적인 틀의 전환(인터넷이

얼마나 빨리 우리에게 다가왔는지를 생각해 보라!)에서 시작되기
도 합니다.

　가까운 곳으로 눈을 돌려 당신의 건강을 생각해 보십시오.
병은 그 병에 걸렸다는 것을 깨닫기 훨씬 전에 시작됩니다. 건
강상의 많은 문제들이 실은 유전적인 성향으로 존재합니다. 말
하자면 당신이 태어나기 전부터 그 병은 존재했던 것입니다.
병은 나중에 문제를 일으키는 습관으로 시작되기도 하고, 생활
방식이나 업무에 대한 불만에서 시작되기도 합니다. 그런 것들
이 당신의 잠재의식 속에서 곪아 급기야 병으로 나타나는 것입
니다. 당신은 특정한 식이요법을 실시할 수도 있지만 분명하게
병을 의식하지는 못합니다. 담배를 끊어보기도 하지만 역시 마
찬가지입니다. 그러다 병이 찾아오고, 그러면 어쩔 수 없이 그
병에 신경이 쓰입니다. 그렇게 찾아온 병이 사실상 건강에 문
제가 있다는 것을 처음 깨닫게 되는 계기가 됩니다. 그러나 분
명하게 말하면, 그 병은 이미 오래 전부터 시작된 일련의 사건
들이 가시적으로 나타난 것에 불과합니다.

　변화가 엄청나게 빠르게 진행되고 있는 현실에 비추어 우리
는 현재 어떤 변화가 일어나고 있는지, 어떤 변화가 필요한지,
그 조짐을 보여주는 아주 작은 단서라도 놓치지 말아야 합니

다. 또한 과거의 노력이 현재의 대세로 나아가는 데 '실패' 했다는 이유로 변화의 필요성을 부인하고 있을 여유도 없습니다. 그렇다고 모든 변화를 다 지지하고 나서야 한다는 얘기는 아닙니다. 다만 우리가 예전보다는 더 신경을 곤두세우고 예의 관찰해야 할 필요가 있다는 뜻입니다. 내일의 큰 변화는 오늘 우리 주변에서 일어나고 있는 작은 불꽃으로, 작은 실패로 이미 존재하고 있는 것입니다.

따라서 변화를 꾀하기로 결정내릴 때, 혹은 어쩔 수 없이 변화에 따라야 할 때 비로소 변화가 시작된 것이라는 낡은 신념에 이제는 도전장을 던져야 합니다. 그리고 과거에 실패한 도전이 이제는 더 이상 추구할 가치가 없다는 사고방식에도 도전장을 내밀어야 합니다. 바로 그 옛날의 실패한 도전(종종 '일시적인 유행'이니 '과거 한때의 일'로 치부되는 선구적인 노력)이 새로운 주요 농작물의 첫 싹이 될 수도 있고, 새로운 계획을 위한 관측기구가 될 수도 있고, 계획에 없던 첫 테스트가 될 수도 있고, 장차 행운을 가져다주는 뜻밖의 변종(실수를 통한 성공)이 탄생하는 계기가 될 수도 있고, 장차 있을 실전에서 승리를 가져오는 새로운 기술을 연마하고 습득할 수 있는 기회가 될 수도 있습니다.

실패는 성공의 어머니다

변화는 우리가 모르는 사이에 슬며시 시작된다는 사실을 믿어야 – 알아야 – 합니다. 우리가 해야 할 일은 그러한 변화에 좀더 깨어 있어야 한다는 것입니다. 새로운 프로그램이나 새로운 업무 방식이 제기될 때 "또 하나 새 것을 내놓았군……잘 되나 두고 봐야지."라고 생각하기보다는 "왜 이 시점에서 이 프로그램이 제시됐을까?"라고 생각해 보십시오.

가령, "우리가 전에도 이 비슷한 것을 시도한 적이 있지. 그런데 실패로 끝났잖아."라는 생각이 들 때면 그런 생각은 접어 두고 대신 이렇게 한 번 생각해 보십시오. "왜 다시 이 방식이 등장한 것일까?" "변화하는 환경 속에서 우리가 발전을 이루고 성공을 거두기 위해선 이 변화 속에서 우리가 해야 할 중요한 일은 무엇일까?" "과거에 우리가 이 일을 했을 때하고 지금은 상황이 어떻게 달라졌는가?" "지금 우리에게 도움이 될 만한 과거의 경험('실패'의 경험)은 무엇인가?"

요점은 과거에 실패를 했느냐 하지 않았느냐가 아닙니다. 실패는 미래의 성공을 위해 필요한 전조(前眺)입니다! 오늘 해야 할 일은 무엇이고, 내일은 위해선 어떤 일을 해야 하는가? – 이것이 바로 고려해야 할 사항입니다. 당신이 "중요한 변화는 보이지 않게, 그리고 옛날의 실패와 더불어 시작된다."고 믿는다면 주변에서 일어나고 있는 일에 대한 태도, 반응, 생각, 대화 등 모든 것이 일순간에 새로운 모양으로 이루어지고 그려지게 될 것입니다.

'변화는 언제 시작되는가?'에 대한 당신의 '행동 신념'은 무엇인가?

바보들은
항상
결심만 한다

- 어떤 변화가 일어날 때, "옛날에도 그 일을 했지만 다 소용이 없었어."라고 결정을 내린다.(이것이 사실일지 모르지만 당시에는 타이밍이 안 좋았고, 성공을 위해 충분히 에너지를 다 쏟아 붓지 못했다.)

- 변화에 대해서 이렇게 얘기한다. "이건 내가(당신이) 했어! …… 내가(당신이) 이렇게 되도록 만든 거라고!"(이런 말은 어쩌면 현재의 성공에 밑거름이 되었을지도 모를 과거의 노력과 실패를 모두 무시하는 발언이다.)

- 당신이 시도했던 일이 실패로 끝났다고 어떤 목표나 비전을 뒷짐지고 바라만 본다.(당신이 예전에 시도했던 일이 굉장히 중요한 어떤 일의 성공을 가늠하는 최초의 시금석이었음이 나중에 밝혀질지도 모른다.)

다음과 같은 새로운 사고방식으로 생각하도록 노력하십시오.

당신이나 다른 사람이 시도했던 일이 실패로 끝날 때 그 일의 목적을 계속 추구하면서 고수할 것인지 재검토하자. 그런 다음에 그 아이디어를 다시 살리고 배운 것을 토대로 발전할 수 있는 방법을 찾아보자.

변화의 신호가 될 수도 있는 새로운 아이디어나 소수의 시각에 귀를 기울이자. 혹 동의하지 않는다 하더라도 뭔가 새로운 것이 일어날지도 모른다는 사실을 늘 헤아리고 있어야 한다. 그리고 어떤 일이 일어나기 시작할 때 그 일에 주목하라.

누군가가 "전에 그것을 해봤는데, 제대로 안 됐어."라고 말하면 당신은 이렇게 한 번 생각해 보라. "우리가 지금 계획하고 있는 일이 과연 '옳은' 일인가?" 만일 그렇다고 생각되면, 이 새로운 일이 성공을 거두는 데 과거의 '실패'에서 실제로 도움이 될 만한 것은 무엇인지 찾아보자.(과거의 노력이 비록 실패로 끝나더라도 그 사이에 유용한 기술을 습득하고, 해결해야 할 문제가 무엇인지 확인하고, 직접 행동에 옮기지는 않더라도 뭔가 새로운 안목을 터득했을 수도 있다.)

그러면 당신은 변화하는 세계에서 성공을 거두기 위한 발판을 마련하는 것입니다.

52

어느 기업에서 원활한 비즈니스 정보 교류를 위해 정교한 컴퓨터 시스템을 도입하려고 하였다. 그러나 컴퓨터 교육도 제대로 이루어지지 않았고, 시스템 자체도 결함이 많았다. 더욱이 기업 문화(부서간 협조보다는 자기만의 영역을 선호하는)가 그 시스템을 죽여버린 꼴이 되었다. 결과적으로 비용만 많이 들었지 실패로 끝난 시도였다. 2년 후, 새로 부임한 사장이 '또 다른' 통합 프로그램의 도입을 제의했고 다행스럽게도 예전에 실패로 끝난 프로젝트 덕분에 많은 임원들의 신념이 바뀌어 있었다. 과거 같았으면 그들은 아마 이렇게 얘기했을지 모른다. "아마 소용이 없을 겁니다. 전에도 시도한 적이 있는데, 막대한 손해만 보고 실패하고 말았지요. 저는 그냥 지켜만 보겠습니다." 그러나 이제는 그들의 대화가 이런 식으로 진행되었다. "예전엔 타이밍이 안 좋았습니다. 부서간의 비협조가 어떤 손해를 끼쳤는지 이제는 모두가 잘 알고 있죠. 과거에 실패한 경험 덕택이죠. (과거에 시도했다 실패했기 때문에 이 문제를 이제는 제대로 인식하고 있는 것이다!) 그리고 예전에 일부 기술을 개발했기 때문에 그것을 지금 사용할 수 있으면 이 새로운 시스템을 정착시키는 일이 훨씬 수월할 겁니다. 처음부터 다시 시작할 필요가 없으니까요!"

1990년에 같은 분야의 전문가들로 구성된 한 단체가 있었다. 그 단체의 회원 가운데 한 사람이 인터넷을 활용한 온라인 통신망을 개설하자고 제의하고 나섰다. 그 사람이 제안한 온라인 통신을 그 단체에서 검토하고, 또 일부 기초적인 프로그램을 시도해 보기도 했다. 그러나 그 프로젝트는 취소되고 말았다. 일부 회원들이 컴퓨터를 가지고 있지 않을 뿐더러, 온라인 통신이 서로 얼굴을 맞대는 모임을 완전히 없애버릴지 모른다는 우려 때문이었다. 또 그 기술도 신뢰할 수 없었다. 그래서 사람들은 그 프로젝트를 '실패로 끝난 프로젝트'로 규정지었다.

2000년에 들어서 그 단체는 실제 만나는 모임 중간중간에 회원들간의 의견교환이나 모임에 관한 계획을 함께 세우기 위해 인터넷을 활용하기 시작했다. 분명한 것은, 1990년대의 경험이 인터넷 기술을 채택하고 사용하는 데 도움이 되었다는 점이다. 그 단체는 월드 와이드 웹(www)을 초기에 채택한 단체였다. 따라서 그 단체의 인터넷 기술의 활용은, 비록 실패로 끝났긴 했지만, 1990년대에 이루어졌던 초기의 노력에서부터 시작된 셈이라 할 수 있다.

변화는 어떻게 진행되는가

변화는 순차적으로,
계획대로, 이성적으로,
그리고 일직선을
따라 진행된다

변화는 원과 곡선을
그리며 움직인다

조직이나 기업은 설정된 목표를 바탕으로 어떤 전략이나 비전을 세웁니다. 그럴 때 그 전략이나 비전 속에 함축된 전제(신념)는 유유한 변화의 방향이 목표를 향한 지름길이어야 하고, 목표와 직선으로 연결되는 길이어야 합니다.

개인적인 목표를 세울 때도 똑같은 전제가 적용됩니다. 일단 목표를 세우면 우리가 해야 할 일은 오로지 그 목표를 성취하는 방향으로 행동해야 한다는 것이 보통 사람들의 기대입니다. 그러나 이런 사고방식으로는 다음과 같은 사실들을 설명할 수 없습니다.

▶ 의도나 목표는 행위를 유발하는 한 가지 원인에 불과하다. 실은 다음과 같은 많은 원인들이 있다. 현재의 상황, 현재의 생각과 관심, 에너지 충전 수준, 상충하는 우선순위, 기술 수준, 주변의 사람들이나 집단의 행동과 말, 도구나 장비 이용 가능성 등.

▶ 당신이 추구하고자 하는 목표가 지금 현재로서는 당신이 내보일 수 있는 최선의 목표일 수도 있다. 그러나 당신이 그 목표를 향해 나아가는 동안 다른 길로 들어서고 싶은 생각이 들기도 하고, 뭔가 다른 것을 만들어내거나 어떤 다른 일을 하고 싶다는 생각이 들기도 할 것이다. 또 그 동안 쌓은 경험이나 지식에 비추어보면, 지금 하고자 하는 일이 장기적으로는 받아들여질 수 없는 부정적인 결과를 초래할지도 모른다는 생각이 들 수도 있다.

▶ 변화의 긴박성이나 그 에너지가 행동의 변화를 끌어낼 정도로 강하지 않은 것인지도 모른다. 그래서 당신이 현

상에 머무르며, 새로운 단계로 도약하지도 못하고, 새로운 생활방식이나 업무방식을 찾지 못하는 것일 수도 있다. 그것은 해수면에서 물을 끓이는데 섭씨 98도까지만, 즉 끓는 온도에 가깝지만 완전히 물을 끓이는 데는 충분치 못한 에너지 수준에서 가열하는 것과 마찬가지이다.

▶　변화의 과정에서는 때에 따라 변화의 동력이 다르다. 초기에는 옛날 방식이 앞을 가로막아 앞으로 전진하는 일이 힘들 수가 있다. 왜냐하면 전체 시스템이 현재의 행위를 고수하는 방향으로 이미 만들어져 있기 때문이다. 그것

변화를 선도하는 에너지의 하강과 상승

은 몸속에 신종 박테리아가 침입했을 경우와 비슷하다. 장
기적으로 그 박테리아가 좋은 박테리아(즉, 새로운 음식을
소화시키는 데 도움을 주는 박테리아)로 판명되더라도, 일단
우리 몸은 그 박테리아에 대항하는 것이다. 또한 변화의 과
정 후반기에는 힘센 야수가 죽음 직전에 발악을 하듯 엄청
난 저항 에너지가 발생할 수도 있다. 이것은 '완강하게 버
티는' 에너지가 변화의 과정을 뒤틀기 위해 최후의 저항을
시도하기 때문에 일어나는 현상이다.

▶   새로운 기술을 습득하는 개인에게는 획기적인 약진
의 시기와 안정의 시기가 있기 마련이다.(새로운 운동을 배
울 때의 과정을 생각해 보라 – 가속이 붙어 발전하는 시기 다음
에는 장기간의 안정기가 뒤따르는 법이다.)

변화는 직선을 따라 점진적으로 진행되기보다는 원을 그리
며 파도를 타듯, 그리고 갑자기 방향을 틀어 한쪽으로 기울며
진행됩니다. 그런 움직임을 통해 동력과 지혜를 모은 변화는
주변에서 중심 영역으로 들어섭니다.

어쩌면 그런 움직임이 어떤 변화의 실행 가능성과 기능성을

바보들은
항상
결심만 한다

검증하는 당연한 과정인지도 모릅니다. 달리 말하면, 변화가 하나의 주류가 되도록 단련시키고 그 모습을 갖추는 데 도움을 주는 방식이 될 수 있습니다. 마치 어떤 종(種)의 돌연변이가 나중에 그 종의 지속적인 특징이 되듯, 변화는 그것이 미래의 생존가치에 보탬이 될 수 있음을 입증해야 하는 것입니다.

'변화는 어떻게 일어나는가' 에 대한
당신의 '행동 신념' 은 무엇인가?

당신이 만일 다음과 같은 식으로 행동한다면⋯⋯

- "이것은 우리 변화 계획에 없던 거야. 우리는 잘못된 길로 들어서고 있는 거라고." 라고 말한다.
- 변화를 일으키려는 노력을 조직화하고 통제하여 실제로는 변화시킬 것이 아무 것도 없게 만든다.
- 저항이나 현재의 진척 사항이 완강하게 변화를 거부하며 버틸 때, "이렇게 바꿔봐야 소용없어." 라며 포기한다.

체념하며 이렇게 말한다. "오케이. 당신이 원하는 대로 다 하죠 뭐."

다음과 같은 새로운 사고방식으로 전환하는 것이 어떨까요?

형식적으로나 공식적으로 조직화되지 않고 통제되지 않은 상태에서 변화가 언제 발생하는지 주목하라. 그리고 아무런 간섭 없이, 변화가 일어나도록 그대로 내버려두고 어떤 일이 벌어지는지 보자.

변화 프로젝트가 진척이 안 되고 오히려 후퇴하는 느낌이 들어도 큰 그림이나 큰 목표는 늘 염두에 두도록 하자.

당신이나 다른 사람들이 추구하려고 노력하는 변화에 있어서 아무리 정체기나 안정기가 찾아오더라도 변화를 향한 에너지와 희망은 계속 유지하자.

문제가 발생하거나 여러 정황으로 볼 때 '뭔가 다른 것을 더 해야 하지 않나.' 하는 생각이 들어도 원래의 계획에 맞추어 끝까지 밀고 나가자.

강력한 저항들이 큰 변화가 임박했음을 알리는 신호인지, 아니면 변화 전략을 재고할 필요가 있다는 신호인지 밝혀내자.

그러면 당신은 변화하는 세계에서 성공의 길로 들어서는 것입니다.

다섯 번째 신념
언제 동참하여 일할 것인가

낡은 신념 새로운 신념

성공하면 동참한다 동참해야 성공을
이끌어낼 수 있다

"하지만 급여 체계가 아직 정리되지 않았잖아."
"우리 정책이 이 변화를 뒷받침하지 못하는데……"
"상관들이 모범을 보이지 않는데 뭘.
그 사람들이 하면 나도 따라하지, 뭐."
"이 변화가 확실하다는 확신이 들 때, 그때 동참할 거야."

이런 말들은 모두 낡은 신념 체계에서 비롯된
언사들입니다. 변화에의 동참은 그 결과가 불확실할 때,
이를테면 장애물이나 저항 세력을 극복할 수 없을 것 같을 때,
더욱 소중하고 중요합니다. 동참하여 헌신한다는 것은 꿈과 비
전을 실현시키는 에너지입니다. 이 에너지가 어렵고 힘든 시기

63

에 우리의 행동을 지속시켜주는 것입니다. 당신이나 어느 누가 "기다렸다가 동참하지 뭐."라고 말하면 그것은 현상 유지를 나타내는 것이고, 또한 변화에의 참여와 실행의 가치를 떨어뜨리는 것입니다.

'언제 동참할 것인가'에 관한 행동 신념은 당신이 자신의 인생과 능력을 어떻게 보고 있는가를 직접적으로 반영해줍니다. 당신 개인의 삶을 생각해 보십시오. 일이 잘 풀릴 때는 어떤 일을 정하여 실행하는 것이 어렵지 않습니다. 그러나 여러 문제가 발생하고 뭔가 확실하지 않을 때는 그렇지 않습니다.

직장 생활에서의 경우, 낡은 신념은 모든 것이 성공을 위해 만반의 준비가 되었을 때, 만사가 성공의 길로 잘 '정렬되어' 있을 때, 그때 동참하라고 충고합니다. 즉, 낡은 신념 체계에서는 성공과 관련된 모든 것 - 전략, 구조, 정책, 인적 자원, 보상 체계, 홍보 및 섭외, 정보와 커뮤니케이션 과정, 리더의 역할, 예산 등등 - 이 동일한 방향으로 정렬되어 있을 때까지 동참을 미루라고 권합니다.

그러나 우리가 결혼을 앞두고 있을 때와 마찬가지로 위에서 언급한 조직이나 기업의 여러 부분들이 무슨 기계 부속처럼 완벽하게, 총체적으로, 어느 한 방향으로 정렬될 수는 없습니다.

바보들은
항상
결심만 한다

점진적으로 성장하며 관료 조직 같은 탄탄한 조직을 발전시키고, 여러 해에 걸쳐 나름의 문화도 형성해온 기업이나 조직이라도 모든 부분을 한 방향으로 완벽하게 정렬시킬 수는 없습니다.

더욱이 오늘날처럼 국제적인 압력과 경쟁이 치열하여, 조직이나 기업이 불안정한 상황에서 각 부분을 한쪽 방향으로만 정렬시키는 것은 거의 불가능한 일입니다.

가령, 전략적인 측면에서 고려한 방향과 운영체계상의 고려가 다를 수 있습니다. 조직이나 기업의 방향에 어떤 부분은 들어맞지만 다른 부분은 맞지 않을 수 있습니다. 그리고 낡은 것도 있고, 새 것도 있을 수 있습니다. 따라서 완벽한 정렬과 배열은 하나의 신화, 단순한 바람에 지나지 않습니다. 결국 그것은 결코, 아니 전혀 현실과 맞지 않는 이야기입니다.

다시 '동참'의 이야기로 돌아가 봅시다. 어떤 중요한 변화가 진행중이라는 사실을 깨달았을 때 '동참'과 관련된 다음의 주요 질문에 스스로 대답해 보십시오. "여기서 무엇이 중요한가?" "우리 기업(조직)이 장차 성공을 거두려면 무엇이 필요한가?" "환경은 어떻게 변화하고 있는가?" "우리는 어떻게 변해야 하는가?" "미래를 위해 내가 옳다고 생각하는 것은 무엇인가?" "현재의 변화가 과연 지지해도 좋을 만큼 중요한 것인가? 아니면 그냥 '일시적인 유행'에 불과한 가?"

그리고 다음의 핵심 질문에도 대답해 보십시오. "지속적으로 변화하는 이 무대에서 한 사람의 연기자로 내가 해야 할 일은 무엇인가?" "조직의 모든 부분이 한 방향으로 정렬되어 있지 않은 상황(가령, "구조가 제대로 되어 있지 않다." "모든 리더들이 다 이것을 지지하는 것은 아니다." "현 급여체계가 제대로 보상해 줄 수 없다." "우리에게는 필요한 장비나 기술이 없다." 등)에서 내 능력을 어떻게 활용할 것이며, 내 자신을 어떻게 관리할 것인가?"

불확실성 속의 동참

모든 종류의 조직이나 기구가 개방적으로 변해가고 유연해짐에 따라 개인이 영향력을 발휘할 수 있는 기회는 점점 커지기 마련입니다. 따라서 변화에 동참하는 것이 예전보다는 더 소중하고 가치 있는 일이 될 것입니다!

'동참' 에 대한 당신의 '행동 신념' 은 무엇인가?

당신이 만일 종종 다음과 같이 행동한다면······

- 어떤 변화가 반드시 일어나리라는 확신이 들 때까지는 그 변화에 대한 지지를 유보한다.
- 이런 식으로 말한다. "높은 사람들이 이 변화를 지지한다면 그때 나도 동참하겠다." "보상체계가 받쳐준다면······" "우리 정책과 새 프로젝트는 다르잖아. 이게 제대로 정리 안 되면 난 따를 수 없어."
- "내가 동참한다고 큰 차이 있겠어? 난 그저 일개 직원에 불과한데······"라고 생각한다.

• 리더들이 동참하지 않는 것처럼 여겨질 때, 혹은 급여나 승진 등이 엉뚱하게 책정되어 있다고 느낄 때 중요하다고 생각했던 변화일지라도 한 발짝 뒤로 물러선다.

당신의 사고방식을 다음과 같이 바꾸어 보십시오.

당신이 참여하고 싶은 조직이 어떤 조직이고, 나중에 다른 사람들에게 물려주고 싶은 조직이 어떤 조직인지 상상하라. 그리고 그런 조직을 창조하는 데 도움이 되는 변화를 지지하라.

아무리 당신이 소수의 입장에 있더라도 당신이 옳다고 생각하는 것을 분명히 밝히고, 그 태도를 견지하라.

모든 것이, 조직의 각 부분이 새로운 방향에 제대로 맞지 않거나 그 방향으로 정렬이 안 되더라도 인내심을 가져라 – 적어도 당분간은 참을 수 있어야 한다.

그러면 당신은 변화하는 세계에서 충분한 영향력을 발휘할 수 있습니다.

바보들은
항상
결심만 한다

사회나 조직에서 중요한 변화들은 소수의 헌신적인 사람들에 의해 시작된다. 그들은 시스템에 '도전'하고 나서는 사람들이거나, 당장은 인기가 없더라도 소신을 굽히지 않는 사람들, 혹은 잠재해 있는 엄청난 에너지를 밖으로 끌어내어 실행에 옮기는 사람들이다. 그들은 공식적인 지원이나 자원의 뒷받침이 없이 오랫동안 열심히 노력하는 사람들이다. 이것이 바로 인간 본성 속에 숨어 있는 중요한 역할 가운데 하나이기 때문에 종교나 역사, 소설, 영화 등에서 주요 테마로 자주 등장하기도 하는 것이다. 우리가 잘 알고 있는 모세, 예수, 간디, 나폴레옹, 넬슨 만델라, 레흐 발레사, 테레사 수녀, 로사 팍스 등이 그 유명한 '변화의 매버릭스(소신 있는 위인)'들이다. 영화에서도 노마 레이, 오스카 쉰들러, 에린 브로코비치 등이 그런 역할을 한 역사적인 인물로 영원히 기억되고 있지 않은가. 이 모든 사람들은 위험과 기회는 동전의 양면이라는 동양의 지혜를 증명해 보인 사람들이다.

직장에서도 설혹 위험한 일이라 하더라도 자신이 믿는 프로젝트와 변화를 굳건히 고수하는 사람들이 있다. 그들은 자신들 뒤에 있는 사람들을 격려하고, 조직으로부터 필요한 자원을 제공받지 못할 때도 스스로의 힘으로 일을 추진하며, 장애물이 나타나 쓰러지더라도 다시 일어서고, 또 일어서는 사람들이다. 그런 사람들을 여러분은 잘 알고 있을 것이다. 아니, 어쩌면 여러분이 그런 사람들 가운데 한 사람인지도 모르겠다. 그런 사람들은 분명히 이렇게 말할 수 있는 사람들이다. "나는 내가 믿는 바를 흔들리지 않고 실행했어." 그리고 이렇게도 말할 수 있다. "내가 동참하여 밀고 나간 것이 큰 성공을 거둔 셈이지."

바보들은
항상
결심만 한다

리더의 역할

낡은 신념

리더들이 변화를
주도해야 하며, 사전에
완벽하게 계획된
변화의 과정에서
모범을 보여야 한다

새로운 신념

변화의 과정에서
리더들은 부하들과
같이 배워나가는
사람들이다

몇 해 전 세계에서 규모가 가장 큰 맥주회사 가운데 한 회사가 복잡한 변화의 소용돌이에 빠져 있을 때, 나는 그 회사 노조 간부들을 만난 적이 있었다. 어떻게 하면 노조 조합원들이 그 변화 과정에 더 적극적으로 참여할 수 있는지, 그들의 의견을 듣고 싶었기 때문이었다. 한참 열띤 토론이 벌어졌고, 얼마 후 한 간부가 이렇게 말했다.

"이건 시간 낭비입니다. 경영진이 변하지 않는 한 우리도 변하지 않을 겁니다."

잠시 침묵이 흐른 뒤, 나는 그들에게 물었다.

"그들이 변할 거라고 생각하십니까?"

"일부는 그럴 겁니다."

"그 일부가 얼마나 되죠?"

"한 50%는 되겠죠."

"그럼 나머지 50%를 변화시키는 데 시간이 얼마나 걸릴까요?"

"한 3년 걸리겠죠."

이 말을 듣고 나는 그 자리에서 일어섰다.

"어디 가십니까?"

"3년 후에 다시 오겠어요."

그러자 잠시 침묵이 흐르고, 노조 간부들 사이에서 다음과 같은 말이 튀어나왔다.

"잠시만요. 만일 경영진이 변화의 조짐을 보인다면 그때는 우리도 그들의 잘못을 참아줄 수 있습니다."

실제 있었던 이 이야기의 아이러니는 며칠 뒤 경영진과의 만남에서 한 임원이 크게 실망하며 던진 다음의 말에서 분명하게 드러났다.

"그들이 변하기 전까지 우린, 절대 변하지 않을 겁니다."

대기업 혹은 큰 조직의 변화 – 많은 사람들에게 영향을 미치면서 새로운 역할과 관계를 요구하는 변화 – 에 관해 사람들이 가장 잘못 인식하고 있는 믿음 중의 하나는 다른 집단이 변하기 전에 어느 한 집단이 우선 변해야 한다는 생각입니다. 이 세상, 혹은 어떤 조직이나 기구가 완전히 기계적이고 합리적이라면 아마 그런 생각이 가능할 것입니다. 가령, 이런 식입니다. 누군가가, 또는 어떤 집단이 변화를 결정하고 계획한 다음 그것을 나머지 다른 집단에게 전달합니다. 그리고 시스템, 구조, 보상 체계 등을 그 변화 계획에 맞추어 정비하고, 소속 구성원들을 교육시키고 지원하여 그들의 행동에 변화가 일어나게 합니다. 이런 전체 과정 속에서 맨 처음 변화를 주도했던 '선각자들'은 저항이나 감정적인 반응보다는 용기와 시기에 맞춘 적절한 행동과 이성적인 태도를 보인 모델이 됩니다.

그러나 리더들에게서 그런 완벽함이나 통제력을 기대하는 것은 현실적으로 불가능합니다. 사실 새로운 시장 환경, 글로벌 경제, 테크놀로지의 변화 등의 요구 사항들은 대부분 모두에게 낯설고·새로운 것들입니다. 이것은 리더들에게도 마찬가지입니다. 그리고 그러한 요구에 부응하기 위해서 새로운 리더십과 행위가 필요하고, 또한 새로운 근로자 기술과 행위도 필요합니다.

오늘날의 변화는 모든 사람들에게 새로운 종류의 학습과 상호작용을 요구합니다. 한 집단의 변화는 다른 집단의 변화와 맞물려 있습니다. 리더들만이 혼자서 그 변화의 게임을 할 수는 없습니다. 그리고 리더들 역시 학습에 참여해야 합니다.

공식적인 리더의 지위에 있는 사람들 가운데 인터넷 시대에 교육을 받은 사람들은 거의 없습니다. 또한 미래학자인 스탠 데이비스(Stan Davis)와 크리스 메이어(Chris Meyer)가 말한 이른 바 불확실한 경제 시대에 필요한 리더십 기술을 배우거나 그런 리더십을 지닌 리더는 거의 없습니다. 아마 베이비붐 시대에 태어나 이제 은퇴를 앞두고 있는 사람들, X세대, 힙합 세대, 컴퓨터로 자택 근무하는 사람들, 혹은 글로벌 시대의 직원들 등 온갖 사람들이 모인 집단을 이끌어가리라 예상했던 리더는 거의 없을 것입니다.

이런 조건하에서 완벽한 리더를 기대하는 것은 비인간적인 환경 조성 – 즉, 조직과 리더들의 무력화 – 에 공모하는 것과 다를 바 없습니다. 왜냐하면 '완벽'을 기대하는 것은 "안정이 정상이고, 변화는 예외다."라는 보통의 신념(첫 번째 신념)에나 어울리는 행위이기 때문입니다.

바보들은
항상
결심만 한다

당신이 공식적인 리더 – 자원과 전략에 대해 상당한 통제력을 지닌 사람 – 라면 여러 가지 요긴한 방법을 통해 변화를 뒷받침할 수 있습니다. 가령, 여러 가지 새로운 가능성들을 초기 단계부터 지지하고 발전시킬 수 있습니다.(3M의 경우는 새로운 아이디어, 때로는 미친 짓거리라고 손가락질받던 아이디어라도 그 아이디어들이 현실의 장애를 견뎌낼 정도로 견고해질 때까지 리더들이 도와주는 리더십 후원 방식을 채택한 대표적인 기업입니다.)

그리고 일단 변화에 대한 계획이나 목표가 설정되고 나면 리더들은, 설혹 그 변화를 주도할 만한 충분한 지식이나 기술을 지니고 있지 않더라도 그 변화가 대세의 흐름이 되도록 조직 환경에 새바람을 불러 일으켜야 합니다.

리더들이 적극적이고 공격적인 학습자가 되는 것도 중요합니다. 그들이 해야 하는 것은 신속하게, 그리고 공개적으로 새로운 리더십을 개발하는 일입니다. 마지막으로, 자신들이 가진 공식적인 권력이나 권한을 현명하고 의식적으로 활용해야 합니다. 왜냐하면 주주들의 이익을 위해 부하들로부터는 비난받을 만한 결정을 내리거나 '지위를 이용하여 강제로 명령을 내려야 하는' 경우가 발생하기 때문입니다.

당신이 부하나 종업원, 혹은 어느 팀의 일원인 경우를 생각해 보십시오. 그럴 경우 당신은 리더들이 후원하고 지지하는 변화에 리더들 자신이 당연히 참여해야 한다고 기대할 것입니다. 리더들이 공격적인 학습자가 되어 새로운 업무 환경 속에서 강력하고 지혜로운 리더십을 발휘할 수 있어야 한다고 기대하는 것도 당신의 권리입니다. 또한 리더들이 자신들의 학습을 가속화시키고, 자신들이 하는 일을 새로운 시각에서 새롭게 도전하는 데 도움을 줄 수 있는 사람들에게서 어떤 식으로든 자문을 받아야 한다고 기대하는 것도 당신의 권리입니다. 그리고 리더들이 당신의 말에 귀를 기울이고, 당신을 변화의 파트너로 생각하는 것을 기대하는 것 역시 당신의 권리입니다.

그러나 유의해야 할 것은 완벽함을 요구하지는 말아야 한다

자, 잘못된 곳이 어딘지 알았으니 다시 시작하자!

학습하며 설정된 목표에 동참하는 리더

는 사실입니다. 리더들 역시 우리와 똑같은 사람이고, 우리와 마찬가지로 합리적이지 못한 감정이나 생각을 표출할 수 있다는 점을 기억하십시오. 괜히 숨어서 그들의 과실이나 부주의로 생긴 실수를 찾아내려고 하지 마십시오. 그리고 당신 자신의 학습과 변화를 리더가 하는 일에 귀속시키지 말아야 합니다.

오늘날 도전의 시기에 리더들은 조직의 단합과 원활한 기능을 위해 노력해야 하는 어려운 위치에 있습니다. 그들은 기업이나 조직이 발전하도록 노력하면서 동시에 불투명한 미래에 기업이나 조직이 어느 위치에 있어야 하는지, 그 방향도 잡아줘야 합니다. 동시에 자신의 개인적인 변화와 도전에도 능률적으로 대처해야 합니다.

리더의 역할에 대한
당신의 '행동 신념'은 무엇인가?

당신이 만일 자주 다음과 같이 행동한다면……

- "우리 이사는 이번 변화에서 모범적인 역할을 하는 사람이 아냐."라고 선언한다.

- "그 사람은 말과 행동이 서로 달라."라고 말하며 권력을 가진 사람을 비판한다.

- 리더의 말과 행동이 현재 진행중인 변화와 일치하지 않을 때 불안감을 느끼고, 비난하고 싶어진다.

- 리더의 결함이나 과실, 실수 등을 찾아내어 그들의 부적절한 행위나 말을 놓고 험담한다.

- 스스로를 리더인 것처럼 생각하여 자신은 완벽해야 하며, 따라서 다른 사람들과 상의하면서 적극적이고 눈에 띄는 학습자가 될 필요가 없다고 느낀다.

- 리더로서 새로운 프로젝트에 말로는 참여하겠다고 하면서 자금이나 자원 지원은 거부한다. 그리고 부하들은 '근무 시간 외의 시간'에 변화하기를 기대한다.

다음과 같은 새로운 사고방식으로 전환하도록 노력하십시오.

리더의 행동과 말을 살펴서 과연 그들이 더 나은 리더가 되기 위해 진정으로 노력하는가, 혹은 조직 내에서 진행되고 있는 미묘한 변화를 지지하고 있는지 관찰하라.

리더들의 언행이 일치되지 않을 때, 혹은 리더의 행동이 명시된 변화의 목표와 어긋날 때는 그 사실을 리더에게 말하라.(예를 들어, "중요한 사항에 관해 제가 받은 메시지가 서로 상충됩니다. 말씀은 이렇게 하셨는데, 행동은 이렇게 하시니…… 혼란스럽습니다. 하지만 저는 현재의 변화에 동참하여 무엇이 옳은지, 그 옳은 일을 하고 싶습니다.")

리더들의 행동이 그들의 말과 계획된 변화에 부응하여 이루어질 수 있도록 그들에게 일정한 시간을 준다. 커다란 저항이 있을 때는 당신이 신뢰하는 사람에게, 그리고 그 문제에 개입하여 힘을 발휘할 수 있다고 생각되는 사람에게 그 문제를 제기한다.

리더인 경우는 당신이 무엇을 배우고 있는지, 변화하는 요구에 부응하여 어떻게 변화를 이끌 것인지, 공식적인 자리에서 당신의 의견을 밝힌다.

리더로서 미래에 대한 전망, 경험, 시각 등이 서로 다른 사람들 –

조직 내부의 사람이든 외부의 사람이든, 지위 고하를 막론하고 – 과 상의하고 토의한다.

리더로서 주요 변화의 보호자이자 지지자로 행동한다. 단기적인 과제에 더 많은 관심을 기울이고 자원을 동원해야 할 경우에도 마찬가지이다. 장기적인 프로젝트나 문화·기술상의 변화 노력을 위해 부하들의 시간과 조직의 자금을 어느 정도 투자할 수 있게 한다.

그러면 당신은 변화의 시대에 자신의 업무 환경에 나름의 영향력을 미칠 수 있을 것입니다.

몇 해 전에 공익사업과 관련된 대기업에서 대규모 변화 노력을 시작한 적이 있다. 회사에 보다 많은 규율과 참여를 확산시키고자 하는 시도였다. 회장이 변화의 핵심 추진자였다. 몸집이 컸던 회장은 회사 사람들에게는 두려움의 대상이었다. 임원 회의를 할 때도 늘 긴장감이 감돌았다. 변화 프로젝트가 시작되고 몇 개월이 지난 뒤, 그 회장은 부하들이 자신과 자신의 지위에 대해 어떤 반응을 보이고 있는지 궁금했다. 그러던 어느 날, 그는 친구들에게 자기가 많이 배우고 있는 중이라고 털어놓았다. 그러자 한 친구가 이런 충고를 하였다. "자네가 공부하고 있다는 사실을 회사 사람들에게 알리게. 그게 아마 자네를 둘러싸고 있는 '완벽 신화'를 쫓아내는 데 도움이 될 걸세."

회장은 친구 말대로 했고, 별것 아닌 회장의 말, 즉 자기도 공부하고 있는 중이라는 말 덕분에 회장도 다른 사람들과 다를 바 없이 똑같은 학습자라고 인식하게 했다. 그리고 아주 단순해 보이는 그 말이 그동안 억눌려 있던 엄청난 에너지와 실험 정신을 쏟아내는 기폭제가 되었으며, 폭발하듯 많은 놀라운 일들이 벌어졌다.

부하의 역할

낡은 신념	새로운 신념
부하에게는 아무런 권한이 없고, 따라서 장기적인 프로젝트를 맡길 만한 사람이 아니다	부하들도 변화의 과정에서 힘과 능력을 발휘한다

　많은 사람들의 머릿속에 있는 변화의 사전을 뒤져보면, 보통은 변화의 참여자를 '생각하는 자'와 '행동하는 자'로 나누어 생각합니다. 생각하는 자(리더)는 변화를 계획하는 사람이고, 행동하는 자(부하)는 그 변화에 거의 아무런 의심이나 도전 없이 그대로 실행에 옮기는 사람으로 구분짓는 것입니다.

　그러나 분명히 해야 할 것은 오늘날에는 사람의 역할이 그런 식으로 구분되지 않는다는 점입니다. 물론 기능상의 구분은 있을 수 있습니다. 리더들은 새로운 방향을 제시할 책임이 있고,

주요 변화 계획을 천명하고 그것에 인적·물적 자원의 지원을 아끼지 말아야 합니다. 그러나 리더를 따르는 사람들(부하들)의 역할을 단순히 지시나 명령을 받아 그대로 따르는 수동적인 역할로 생각해서는 안 됩니다.

오늘날과 같은 복잡한 세상에서는 어느 공동체든 그 공동체의 구성원은 변화를 생각하는 사람인 동시에 변화를 실행에 옮기는 사람이 되어야 합니다. 부하들(어떤 의미에서는 모든 사람이 다 부하이다.)은 적어도 다음의 세 가지 중요한 역할, 능동적이고 의식적인 역할을 수행해야 합니다.

첫째, '혁신자' 로서의 역할입니다. 공동체의 한 구성원으로서, 혹은 조직의 한 일원으로서 당신은 변화의 조짐이 있으면 초기에 예고도 하고 그 기회도 예의주시해야 합니다. 왜냐하면 고객과 가장 가까운 거리에 있을 뿐 아니라 상품과 서비스를 창조하고 제공하는 가치의 흐름 속에서 움직이는 사람들이 언제나 맨 먼저 변화의 단서를 발견하는 사람들이기 때문입니다. 이 '끝머리' 사람들(일선에 있는 사람들)이, 종종 새로운 과제나 문제가 이사회의 전략 회의에서 공식 주제로 부각되기 훨씬 전부터 그 과제와 문제들을 찾아내는 사람들인 것입니다.(세 번째 신념)

세상의 위대한 기술 혁신이나 어떤 개혁도 그 시작을 따져보면 바로 일선에서 시작되었음을 알 수 있습니다. 그러나 중요한 것은 그 단서나 징후를 초기에 발견해야 한다는 사실이며, 이것이 바로 모든 사람이 해야 하는 중요한 역할입니다. 왜냐하면 바로 당신이 고객이나 동료들과 직접 접촉하는 사람이고, 회사의 상품과 서비스를 직접 만들고 다루는 사람이기 때문입니다. 이 말은 곧 우리 모두가 새로운 단계의 의식 수준 – 새로운 단계의 인식과 행동 수준 – 에 올라야 한다는 뜻입니다. 또한 새로운 신호나 조짐을 주목해 관찰하고, 그 변화의 신호들을 다른 사람들에게 알려주고 행동에 옮김으로써 변화가 더욱 큰 규모로 확산되고 신속하게 실행될 수 있도록 해야 한다는 뜻이기도 합니다.

둘째, 주체적인 '자기 관리자' 로서의 역할입니다. 변화가 진행될 때 현재의 당신의 역할이 위협을 받을 수가 있습니다. 이 경우 당신은 현재 어떤 일이 진행되고 있는지, 주목해서 관찰하고 이해해야 합니다. 가령, 다음의 질문에 당신 자신이 어떤 대답을 할 것인지 생각해 보십시오. "이 변화가 지속된다면 무엇을 먼저 버려야 할 것인가?" "어떤 일을 해야 하는가?" "점검해야 할 가치와 신념은 무엇인가?" "본연의 내 자신이 요구하는 입장이나 태도는 무엇인가?" "스스로 어떻게 관리하고, 어떻게 변화에 동참할 것인가?"

셋째 '위험 감수자'로서의 역할입니다. 어떤 변화가 당신이 지지하는 가치를 반영하고 있다는 느낌이 들면 당장 소매를 걷어올리고 뛰어들어야 합니다. 그러나 변화를 시작하고 주도하면 위험한 일에 직면할 때도 많습니다. 그런 위험을 감수한다는 것은 주변의 다른 사람들이 변화에 대해 주저하거나 저항할 때 그 변화에 대한 입장을 확고히 하고 고수한다는 것을 의미합니다.

또한 그것은 개인적으로는 실패할지 모르지만, 그런 위험을 무릅쓰고라도 새로운 업무 방식으로 뛰어들어야 한다는 것을 뜻할 수도 있습니다. 그리고 위험 감수자가 된다는 것은, 어떤 행동에 대해 심사숙고한 뒤 도저히 당신이 지지할 수 없다는 판단이 선다면 그 행동에 반대 입장을 분명히 밝혀야 한다는 것을 의미하기도 합니다.

그리고 첫 번째 신념에서 다섯 번째 신념(무엇이 정상인가?, 저항과 부정적인 감정, 변화는 언제 시작되는가, 변화는 어떻게 일어나는가, 언제 동참하여 일할 것인가)까지 그와 관련된 당신의 행동을 지켜보십시오. 당신이 "이젠 됐다."고 안심하기 전까지는 중요한 변화에 대해 굳건히 입장을 고수하십시오. 반대로, 너무 일찍 독단적이거나 방어적인 자세를 취하지 않도록 주의해야 합니다. 마음의 문을 열고, 질문을 던지고, 귀를 기울이고,

진취적이고 적극적인 사고

"~라면 어떻게 될까?"라고 자문해 보십시오. 당신이 조직 공동체의 일원으로 계속 남기 위해서 무엇을 기꺼이 포기할 수 있는지 연구해야 합니다. 적어도 현재 당신이 서 있어야 할 곳이

어디인지 알아내야 합니다.

어떤 입장을 고수하거나 태도를 분명히 하기 위해선 열린 마음과 분별력 – 경청(敬廳)의 마음과 평가하는 능력 – 의 균형이 요구됩니다. 다른 사람의 말에 귀를 기울이고 다른 사람의 관점에서 사물을 볼 수 있어야 합니다. 또한 그것에 대한 평가도 내릴 수 있어야 합니다. 그러나 경청과 평가를 동시에 할 수는 없습니다. 먼저 귀를 기울이고 이해해야 합니다. 그 다음에 이렇게 질문을 던져보십시오. "이것을 나는 어떻게 생각해야 하는가? 느낌은 어떤가? 무엇이 방어적인 대응이고, 무엇이 건설적인 반응인가?"

어려운 일이라고 느껴져도 해야 합니다. 그렇게 하는 것이 정신 건강과 개인적인 능력에 아주 중요한 작용을 합니다.

명령이나 지시에 따라야 하는 위치에 있거나 어느 조직의 '구성원'이라고 해서 다른 사람이 계획한 일을 그대로 따라 해야 하는 수동적이고 소극적인 역할만 해야 한다는 뜻은 아닙니다. 오히려 그것은 회사나 조직(물론 주주도 포함하여)은 물론 구성원인 우리 자신을 위해 최선의 것이 무엇인지, 늘 앞을 내다보는 안목과 시각을 유지해야 함을 요구합니다. 변화의 초기

징후를 간파하여 우리 자신의 개인적인 반응과 그 역학 관계를 따져봐야 하는 책임도 뒤따릅니다. 그리고 우리 모두가 변화의 과정 속에서 능동적이고 적극적으로 학습에 참여하고 위험도 감수하는 참여자가 되어야 하는 것입니다.

부하의 역할에 대한
당신의 '행동 신념' 은 무엇인가?

당신이 만일 자주 다음과 같이 행동한다면……

- 다른 사람이 조직화한 큰 게임에서 스스로를 힘없고 무능한 선수라 평가절하한다.
- 명령이나 지시를 따르든 아니면 변화에 참여하기를 거부하든, 아무 생각 없이 반항적인 태도를 취한다.
- 미래에 대한 생각과 책임을 다른 사람에게 떠넘긴다. 대신 하루하루 자기 자신의 일에만 신경을 쓴다.
- 어떤 업무에 대해 그 일이 어떻게 해서 생긴 일인지, 혹은

그 일이 당신의 행위에 어떤 영향을 미칠 것인지 이해하려는 노력 없이 화, 비난, 분개 등의 감정만을 느낀다.

- 실패에 대한 두려움 때문에 생각에 따라 행동하지 못하고, 하고 싶은 일을 과감하게 행하지 못한다.
- 당신이 리더인 경우, 부하 직원들을 제대로 알려고 하지 않는다.

다음과 같은 새로운 사고방식으로 생각해 보십시오.

주변에서 어떤 일이 일어나고 있는지 생각하여 어떤 선택이나 보다 큰 그림에 관해 사람들의 생각에 변화를 가져다 줄 수 있도록 한다.

자기 자신의 감정과 반응을, 그것이 아무리 감정적이라 하더라도, 제대로 인식하고 헤아려 본다. 그런 다음 그 감정이 무엇 때문에 비롯된 것인지 파악한다. 그래야 진심으로 저항할 수도 있고, 아니면 자신의 성장과 발전을 위해 위험을 감수할 수도 있다.

리더인 경우, 회사 안에서나 주변에서 일하는 사람들을 지성이 있는 파트너로 존중한다. 즉, 그들을 진실한 사람, 아이디어가 있는 사람, 그리고 변화의 모양을 결정하고 그 변화를 실행하는 데 중요한 역할을 하는 사람으로 대접한다.

그러면 당신은 계속해서 당신 회사의 발전에 상당한 영향을 미칠 수 있습니다. 그리고 자신이 수행하는 업무 과제들을 잘 활용하면 그것이 개인적으로 성장하고 발전하는 데, 사회에의 기여를 최적화하는 데 도움이 될 수 있습니다.

기업 조직에 관해 많은 생각을 피력한 바 있는 세계적인 리더 가운데 한 사람인 헨리 민츠버그(Henry Mintzberg)는 전통적인 전략 개념을 과감하게 바꾸었다. 전통적으로는 고위층에 있는 사람이나 전문가가 환경과 시장을 연구하고, 기업의 장점과 약점을 검토하고, 그런 다음 기업의 미래 전략을 제시하는 것이 보통이라고 생각했다.

그런데 민츠버그는 그것이 전략을 세우는 두 가지 방법 중 '하나의' 방법이라고 말한다. '다른' 한 방법은 밑에서 일어난 기술 혁신이나 혁신적인 제도 들을 포착하는 일이다. 그는 이 전략을 '떠오르는' 전략이라 부른다. 이 떠오르는 전략이 어떻게 형성되는지 생각해 보자. 이 떠오르는 전략은 실제 업무를 행하고 있는 사람들의 행동과 반응을 통해 형성된다. 다시 말하면, 부하 직원들이 새로운 것을 시도하려고 노력하고, 그 새로운 것을 실행 가능한 토대 위에 세우고 전파하기 때문에 '떠오르는' 전략이 가능한 것이다.

혁신적이고, 주변 상황을 관찰하여 변화의 조짐을 찾아내고, 위험도 기꺼이 감수할 자세가 되어 있는 부하가 사실상 어느 기업에서든 핵심 전략가인 셈이다. 이를테면 모든 사람이 그들이 속한 집단에서 일어나는 어느 변화든 그 변화를 가속화시키고, 방향을 조정하고, 속도를 조절하고, 다시 모양을 그려내는, 그런 힘과 능력을 지니고 있는 것이다.

바보들은
항상
결심만 한다

결론

우리의 '행동 신념'이 우리의 세계를 창조합니다. 행동 신념은 집중해야 할 것을 결정하고, 행동에 영향을 미치고, 원하는 결과를 만들어냅니다. 행동 신념에 따라 서로 다른 결과가 나옵니다.

〈악순환〉의 결과 : 신념이 파국을 불러일으키는 경우

나는 리더들이 그들이 말하는 변화의 완벽한 모델이 되어야 한다고 믿는다.(행동 신념) 그런데 그들이 그렇지 않다는 것을 알게 되었다. 그래서 나는 냉소적인 태도를 보이며, 그 변화가 분명 좋은 결과를 가져올 것이라고 생각하면서도 변화에 동참하기를 거부한다. 나와 비슷한 태도의 사람들과 더불어 계속 비판만 할 뿐 행동에 옮기지 않기 때문에 리더들은 점점 방어적으로 변하고, 그들의 개인적인 변화에 대해 자신감을 잃게 된다. 이렇게 악순환은 계속된다.

바보들은
항상
결심만 한다

〈선순환〉의 결과 : 신념이 새로운 세계를 창조하는 경우

나는 리더들이 그들이 옹호하는 변화를 적극 지지하고, 그들 자신도 변하기 위해 노력해야 한다고 기대한다.(행동 신념) 나는 그들이 변화를 지지하면서 어떤 일을 하는지 주시하고 그들의 행동을 인정한다고 말한다. 그리고 리더들에게 요구사항이 생기면 그것 역시 말하겠다고 한다. 그리고 그들에게 보여주는 지지의 행동들이 제대로 받아들여지고 있다는 것을 느낀다. 그에 따라 나는 위험을 무릅쓰고 더욱 적극적으로 변화에 참여하게 된다. 이런 나의 변화를 관찰한 리더들은 전체 조직이 끝까지 잘 해내리라는 자신감을 갖게 된다. 그들도 역시 나름대로 노력을 더해간다. 변화의 과정을 가속화시키는 선순환이 이렇게 계속된다.

사실 우리 자신의 신념이나 행동이 우리 밖에 있는 그 어떤 것도 통제하거나 제어할 수는 없습니다. 그러나 그 신념이나 행동이 복합적인 변화의 과정에서 강력한 힘으로 작용하는 것은 사실입니다.

당신 자신에 주목하십시오 – 당신의 행동과 그 행동의 동력이 되는 신념을 분명하게 인식해야 합니다. 새로운 신념을 자주 실행에 옮길 때 어떤 일이 벌어질지 상상해 보십시오. 설혹 그 새로운 신념들이 기업이나 조직을 변화시키지 못한다 하더라도 적어도 당신 자신이나 주변의 사람들을 위해 더 좋은 세상을 만들 수 있을 것입니다. 시도해 보십시오!

다음은 제1장의 내용을 변화와 관련된 '행동 신념' 으로 요약해 본 것입니다.

변화에 관한 일곱 가지 신념

❶ 안정과 변화는 둘 다 정상적인 것이다.

❷ 저항은 주의를 촉구하는 신호이다.

❸ 변화는 우리가 모르는 사이에 시작된다.

❹ 변화는 원과 곡선을 그리며 움직인다.

❺ 동참해야 성공을 이끌어낼 수 있다.

❻ 리더들도 같이 배워나가는 사람들이다.

❼ 부하들도 권한을 가지고 있다.

당신의
신념 지수는?

다음은 변화에 대한 사람들의 일반적인 반응을 적어본 것입니다.

변화가 일어나는 상황에서 당신이 '실제로' 어떻게 행동하고 생각

하는지, 그에 해당하는 점수를 각 항목 앞의 빈칸에 적어보십시오.

정직하게 점수를 기입하십시오. 당연히 이렇게 말하고 행동해야 한

다는 것이 아니라 당신이 '실제로' 말하고 행동하는 것에 따라 판단

해야 합니다. 이 설문은 '행동 신념'에 관한 설문입니다.(다른 사람에

게 물어보지 말고 소신껏 쓰세요!)

5 = 거의 항상 이렇게 생각한다 / 행동한다

4 = 자주 이렇게 생각한다 / 행동한다

3 = 가끔 이렇게 생각한다 / 행동한다

2 = 거의 이렇게 생각하지 않는다 / 행동하지 않는다

1 = 전혀 / 거의 이렇게 생각하지 않는다 / 행동하지 않는다

_____ 1. 나는 이렇게 말한다/생각한다. "나는 안정되고 예측 가능한 일을 원한다."

_____ 2. 나는 이렇게 말한다/생각한다. "하루라도 빨리 이 일이 끝나 평상시 업무로 돌아가고 싶다."

_____ 3. 나는 이렇게 말한다/생각한다. "나는 주변에서 일어나는 변화의 최전선에 서고 싶다."

_____ 4. 나는 이렇게 말한다/생각한다. "내가 할 수 있는 일의 일정은 세우겠지만 그보다는 더 발전할 수 있도록 노력할 것이다."

_____ 5. 내 자신의 거부감과 부정적 감정을 발견하고는 그것을 이해하려고 노력한다.

_____ 6. 계속 변화를 추구하며, 합리적인 사실의 토대 위에서 변화에 대해 계속 대화한다.

_____ 7. 주변에서 어떤 변화가 일어날 때 아무 생각 없이 반응을 내보이는 경향이 있다.

_____ 8. 나는 이렇게 묻는다. "장기적으로 성공을 거두기 위해서 우리가 해야 할 일에 대해 왜 거부감을 내보이는가?"

_____ 9. 나 혹은 다른 사람이 시도한 일이 실패로 끝나면 나는 그동안 배운 것을 토대로 새로운 것을 배우고 쌓아갈 수 있는 방법을 강구한다.

___ 10. 변화가 도입될 때 나는 이렇게 말한다. "전에도 이것을 해봤지만 아무 소용이 없었어."

___ 11. 내가 시도했던 일이 실패로 끝나면 목표나 비전으로부터 한 발 뒤로 물러선다.

___ 12. 다른 사람들이 변화의 추세를 분명하게 인식하기 전에 그 추세를 인지하고 지지한다.

___ 13. 나는 이렇게 말한다. "이 변화는 계획에 없는 거야. 다시 돌아가자고."

___ 14. 우리가 계획하지 않았던 혁신적인 일들이 언제 일어나는지 주목하여 그 일들이 더욱 발전할 수 있는 여지를 마련한다.

___ 15. 우리가 계획된 변화 프로젝트에 참여할 때 일이 점진적으로 더 좋아지기를 기대한다.

___ 16. 프로젝트가 진척이 안 되고 후퇴하는 듯 보일 때라도 변화의 보다 큰 그림과 목표를 늘 염두에 둔다.

___ 17. 나는 이렇게 말한다. "변화의 뒤를 리더십이 받치고 있다는 확신이 들 때 동참하겠다."

___ 18. 나는 내가 바라는 조직이 어떤 것인지 생각하고 그런 조직을 창조하는 데 도움이 되는 변화를 지지한다.

___ 19. 나는 이렇게 생각한다. "내가 참여해봤자 별 소용이 없

어…… 그저 한 사람의 부하에 불과한데 뭐."

___ 20. 나는 내가 옳다고 생각하는 게 있다면 비록 내가 아무리 소수의 입장에 있다 하더라도 그것을 굳건히 고수한다.

___ 21. 나는 권력을 지닌 사람들에 대해 이렇게 비판한다. "그 사람은 말과 행동이 달라."

___ 22. 리더의 말과 행동이 현재 진행중인 변화와 일치하지 않는다고 느낄 때 불안감을 느끼며 그저 비난만 하고 싶다.

___ 23. 나는 리더들이 변화와 학습에 적극 동참하는 한 리더들의 실수도 다 받아들인다.

___ 24. 리더들의 행동에서 건설적인 변화를 발견하면 칭찬하고, 변화와 관련해서 상반된 메시지를 받으면 솔직하게 내 생각을 털어놓는다.

___ 25. (리더인 경우만 기입하세요) 리더로서 나는 변화가 일어날 때 나 역시 공부하고 있는 중이라고 부하들에게 털어놓는다. 완벽하게 보일 필요는 없다. 따라서 적극적인 학습자가 될 수 있고, 다른 사람들에게 자문도 얻고 같이 상의도 할 수 있다.

___ 26. (리더인 경우만 기입하세요) 리더로서 나는 새로운 변화의 방향에 말로는 참여하지만 자금이나 자원은 제대로 지원하지 않는다. 나는 부하들이 변화를 원한다면 '근무 시간 외의 시간'에 했으

바보들은
항상
결심만 한다

면 한다.

___ 27. 나는 미래에 대한 생각과 책임은 다른 사람에게 떠넘기고, 오로지 나의 일상 업무에만 신경을 쓴다.

___ 28. 나는 어떤 선택이나 보다 큰 그림에 관한 사람들의 생각에 나름의 영향을 미칠 수 있도록 주변에서 일어나는 변화에 늘 관심을 가지고 생각을 많이 한다.

___ 29. 나는 실패에 대한 두려움 때문에 내 아이디어에 따라 내가 하고 싶은 일을 하지 못한다.

___ 30. 나는 누가 감독하지 않아도 최선을 다해 조직에 기여한다.

___ 31. (리더인 경우만 기입하세요) 리더로서 나는 나를 포함해 다른 리더들이 어떤 진실이나 변화로부터 부하들을 '보살피거나 보호해야 한다.'고 생각한다.

___ 32. (리더인 경우만 기입하세요) 리더로서 나는 우리 조직 내부나 주변에서 일하는 모든 사람들을, 변화의 속사정을 잘 알고 그 변화의 모양을 그리는 데 도움을 줄 수 있는 지적인 파트너로 생각한다.

설문을 통한 신념 지수 측정은 다음의 세 가지 방법으로 이루어집니다.

1. '낡은 신념' 과 '새로운 신념' 점수 비교

2. '동류(同類)' 의 신념과 실천 찾아내기 – '새로운 신념' 체계에 속하는 신념이나 실천, 그리고 변화에 대응하는 당신의 능력에 해가 되는 신념과 실천 찾아내기

3. 당신의 미래는?

1. '낡은 신념' 과 '새로운 신념' 점수 비교

첫째, 각 항목에 해당하는 점수를 아래의 빈 칸에 기입하고, 각 신념 항목에 부분 총점을 기입한다.

1._____

2._____

3. _____

4. _____

총점 _____   _____

안정이 정상이다   변화와 안정 모두가 정상이다

바보들은
항상
결심만 한다

5._____

6._____

7._____

8._____

총점 _____
저항은 변화를 방해한다

저항은 주의를 촉구하는 신호다

9._____

10._____

11._____

12._____

총점 _____
변화는 계획에 따라
위기와 더불어 시작된다

변화는 우리가 모르는 사이에
시작된다

13._____

14._____

15._____

16._____

총점 _____
변화는 일직선으로 진행된다

변화는 곡선과 원을 그리며
움직인다

17._____

18._____

19._____

20._____

총점 _____
성공해야 동참한다

동참이 성공을 이끈다

21. _____

22. _____

23. _____

24. _____

25. (리더인 경우만) _____

24. (리더인 경우만) _____

총점 _____   _____

　　리더는 변화의 모범이어야 한다　　리더는 일반인과 똑같은
　　　　　　　　　　　　　　　　　학습자이다

27. _____

28. _____

29. _____

30. _____

31. (리더인 경우만) _____

32. (리더인 경우만) _____

총점 _____   _____

　　부하에게는 아무런 권한이 없다　　부하도 변화에 중요한
　　　　　　　　　　　　　　　　　영향을 미친다

전체 총점 _____   _____

　　　　낡은 신념　　　　　　　　　새로운 신념

이제 여러분의 자가진단이 무엇을 의미하는지 살펴보십시오.

'낡은' 신념의 총점이 '새로운' 신념의 총점보다 많은 경우

당신은 오늘날 바깥 세상이나 직장에서 일어나고 있는 모든 변화에 제대로 대처하지 못할 수 있다. 스트레스를 많이 받고 혼란스러운 느낌을 받아 과거에 대한 향수에 젖는다. 당신의 태도나 신념이 다른 사람에게도 악영향을 미칠 수 있기 때문에 어쩌면 중요한 변화에 방해가 되는 인물이 될 수도 있다.

그러나 기억해야 할 것은, 변화에 저항하는 것이 때로는 적절한 행위일 수가 있다. 때로는 변화에 반대해서 자신의 태도를 분명히 밝히는 것이 건설적인 행동이 된다. 어떤 때에는 안정을 유지하는 것이 중요할 때도 있다. '낡은 신념' 항목과 관련된 말을 잘 살펴보면 깊은 생각에서 우러나온 저항이 결국엔 하나의 '새로운' 신념 전략이 될 수 있다.

'새로운' 신념의 총점이 더 많은 경우

이 경우는 우리 주변이나 우리 내부에서 일어나는 엄청난 변화에 자신이 직접 동참하고 있다는 느낌을 받게 된다. 당신이 '새로운' 신념에서 높은 점수를 받았다면 그것은 당신이 강인

한 내적 능력 혹은 정신력을 지니고 있다는 의미이다. 다시 말해, 당신은 어떤 상황에서든 성공을 거둘 수 있다는 자신감을 지니고 있는 것이다. 물론 그렇다고 당신이 어떤 부정적인 감정이나 두려움을 전혀 느끼지 않는다는 얘기는 아니다. 그런 느낌을 받을 수도 있지만 그래도 '낡은' 신념에서 높은 점수가 나온 사람보다는 그런 감정을 잘 인지하고 견뎌낼 수 있다는 뜻이다. 궁극적으로 이것은, 당신이 상당한 정서적·지적 기술과 능력을 지니고 있어 오늘날 우리가 살고 있는 세계의 이 험한 바다를 잘 항해해 나가고, 더 나아가 그것을 즐길 수 있다는 의미이기도 하다.

그러면, 당신의 경우는 어떤 것인지 각자 잠시 생각해 보십시오.

2. '동류'의 신념과 실천을 찾아보자. 새로운 업무 환경 속에서 당신의 성공을 뒷받침할 수 있는 신념과 실천, 그리고 당신의 능력 발휘에 저해가 되는 신념과 실천이 무엇인지 알아보자.

다음의 신념 항목에서 '새로운 신념'과 '낡은 신념'에서 가장 높은 점수가 나온 것 두 개씩을 골라 그 앞에 'X' 표시를 하십시오.

바보들은
항상
결심만 한다

첫 번째: 무엇이 정상인가

_____ 낡은 신념: 안정이 정상이고, 변화는 예외이다.

_____ 새로운 신념: 안정과 변화 모두 정상이다.

두 번째: 저항과 부정적인 감정

_____ 낡은 신념: 저항은 변화를 방해한다.

_____ 새로운 신념: 저항은 주의를 촉구하는 신호이다.

세 번째: 변화는 언제 시작되는가

_____ 낡은 신념: 변화는 우리가 그것을 계획할 때, 아니면 어쩔 수 없이 따라가야 할 때 시작된다.

_____ 새로운 신념: 변화는 우리가 모르는 사이에 시작된다.

네 번째: 변화는 어떻게 진행되는가

_____ 낡은 신념: 변화는 순차적으로, 계획대로, 이성적으로, 그리고 일직선을 따라 진행된다.

_____ 새로운 신념: 변화는 원과 곡선을 그리며 움직인다.

다섯 번째: 동참

_____ 낡은 신념: 성공하면 동참한다.

_____ 새로운 신념: 동참해야 성공을 이끌어낼 수 있다.

여섯 번째: 리더의 역할

_____ 낡은 신념: 리더들이 변화를 주도해야 하며, 사전에 완벽하게 계획된 변화의 과정에서 모범을 보여야 한다.

_____ 새로운 신념: 리더들은 부하와 같이 배워나가는 사람들이다.

일곱 번째: 부하의 역할

_____ 낡은 신념: 부하에게는 아무런 권한이 없고, 따라서 장기적인 프로젝트를 맡길 만한 사람이 아니다.

_____ 새로운 신념: 부하들도 변화의 과정에서 힘과 능력을 발휘한다.

자, 이제는 신념에 관한 설문에서 각 항목의 점수를 보고, 그 가운데 가장 높은 점수 다섯 개와 가장 낮은 점수 다섯 개를 찾아 아래의 빈 칸에 적어보십시오.

낡은 신념 : 상위 5개

(1)_____

(2) _____

(3) _____

(4) _____

(5) _____

하위 5개

(1) _____

(2) _____

(3) _____

(4) _____

(5) _____

새로운 신념 : 상위 5개

(1) _____

(2) _____

(3) _____

(4) _____

(5) _____

하위 5개

(1) _____

(2) _____

(3) _____

(4) _____

(5) _____

위의 모든 내용을 검토한 다음 '나와 변화'에 관해 간단히 요약해 보자.

3. 당신의 미래는?

시간을 두고 다음의 질문에 여러분 각자의 생각을 말해보십시오.

• 다음 몇 년 동안 내 주변에 어떤 변화가 일어날 것 인가? 내가 그런 변화에 반응을 보일 것인가? 보인다면 어 떤 반응을 보일 것인가?

• 내 삶의 목적은 무엇인가? 그런 목적에 따라 내 생각을 표출하고, 또 그에 맞춰 살아가는 데 방해가 되는 것은 무엇인가? 만일 내가 주변에서 일어나고 있는 변화 속에서 현재보다 더 강한, 더 능력 있는 사람이라 생각하고 그렇게 살아간다면 과연 어떻게 될까?

• 내가 믿는 신념 중에 내 발전을 가로막는 신념은 무엇인가? 그런 신념을 고수하면 과연 어떤 일이 벌어질 것인가?

• 내가 지닌 신념 중에 과연 21세기를 살아가는 데 도움이 되는 신념은 무엇인가? 그런 신념을 자주 이끌어내는 방법은 무엇일까?

• 이런 생각의 결과로 내가 취하고 싶은 행동이 한두 가지 있다면 그것은 무엇일까?

강한 품성

제2장

강한 품성

변화는 삶의 한 부분입니다. 특히 새천년의 초기라 할 수 있는 지금 우리는 변화에 더 많은 신경을 써야 합니다.

그 이유 중의 하나는 우리가 이 지상에 존재하는 하나의 종족으로서, 전보다 더 강력한 종족이 되어가고 있기 때문입니다. 우리는 통제 불가능한 핵무기를 보유하고 있으며, 유전자 코드를 하나씩 해명하고 있는 중이며, 지구 온난화를 가속화시키는 화학물질을 끊임없이 생산하고 있습니다. 동시에 세계 곳곳에, 최빈국에 사는 사람들까지도 정보 기술(IT), 여행, 미디어의 힘이 전파되고 있습니다.

세상 저쪽 구석에 사는 사람의 행위가 이쪽에 사는 사람에게도 그 여파를 미치는 시대에 살고 있는 것입니다. 폭발하듯 확산되는 정보와 지식이 예전엔 존재하는지조차 몰랐던 새로운 영역으로 우리를 이끌고 있습니다. 불과 10년 전만 하더라도 상상도 못했던 상품과 서비스, 그리고 아이디어가 봇물처럼 쏟아지고 있습니다. 새로운 지식과 정보가, 가정 · 교회 · 직장 등 우리가 전통적으로 든든한 보루라 생각했던 장소를 뒤흔들고 있습니다.

권력이나 힘이 증가되면 그만큼 책임도 뒤따르는 법입니다. '변화'에 대해 생각해 보십시오. 과거엔 당연시 생각되었던 변화가 이제는 심각하게 생각해야 할 것, 선택을 해야 할 것으로 바뀌었습니다. 왜냐하면 변화가 우리 모두에게 영향을 미치기 때문입니다. 동시에 우리가 우리의 역할을 의식하든 못하든 그 변화에 우리 모두가 영향을 미칠 수 있기 때문입니다.

그렇다면 이것이 우리 삶에는 어떤 의미를 지니는 것일까요? 우리는, 아니 '당신'은 어떻게 변화 속에서 성공을 거둘 수 있습니까?

이 질문에 대한 답은 부분적으로 '당신은 누구인가?'라는 물음과 연관이 있습니다.

품성은 평생을 살면서 발전시키는 어떤 것입니다. 품성은 기술처럼 쉽게 개발할 수 있는 것이 아니라 선택의 문제입니다.

비보들은
항상
결심만 한다

그런 의미에서 품성은 우리가 통제하고 조절할 수 있는 것이기도 합니다.

다음의 **네 가지 품성 행동**은 변화의 동반자입니다.

① 분명한 입장을 취하라.

② 당신의 신념과 전제(前提)는 무엇인가.

③ 감정(정서)을 활용하라.

④ 당신의 세계에 더 많은 가치를 부여하라.

과연 나는 누구인지 생각해 보십시오. 오늘날 우리가 직장에 있든 집에 있든 혹은 어느 공동체에 속해 있든, 우리의 개성이 예전 그 어느 때보다 더 많은, 더 깊은 의미를 지니고 있습니다. 기억해야 할 것은, 오늘날의 이 시대가 전 세계의 모든 컴퓨터를 전염시킬 수 있고, 대통령 선거의 승패를 결정지을 수 있고, 핵에 의한 대학살을 초래할 수 있고, 수많은 사람에게 죽음의 질병을 감염시킬 수 있고, 마찬가지로 수백만 명의 목숨을 구하는 캠페인을 시작할 수도 있는, 그런 시대라는 사실입니다.

인구 · 정보 · 기술 · 네트워크 등과 마찬가지로 각 개인도 예전보다는 더 많은 힘을 지니게 되었습니다. 그렇다면 우리의 품성 – 당신의 품성 – 이 그런 힘을 어떻게 다루어야 할지 진지하게 생각해 봐야 할 문제입니다.

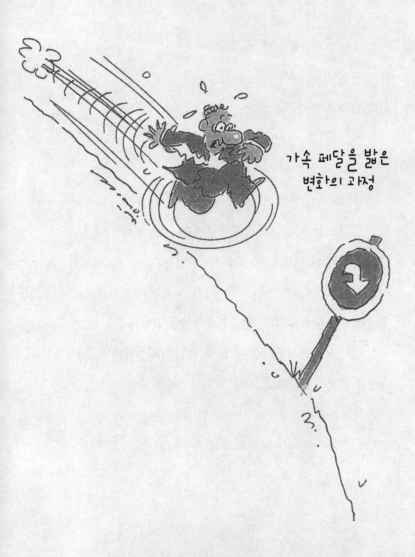

가속 페달을 밟은
변화의 과정

첫 번째 품성
분명한 입장을 취하라

이 세상에 얼마나 다양한 관심과 인격들이 있
는지 생각해 본 적이 있습니까? 몇 해 전 나는 아들과
함께 위스콘신에서 열린 어느 '전자 게임' 회의에 참석했을 때
이 문제를 깊게 생각하게 되었습니다. 그때는 아직 전자 게임
이 폭발적인 인기를 누리기 전이었지만 보드 게임, 군대 게임,
환타지 게임 등 그런대로 다양한 게임들이 있었습니다.

회의 중에 샘플 게임을 선택해서 즐기는 시간이 있었는데 우
리는 환타지 게임을 선택했습니다. 참가자들은 마법사·무
사·도둑·왕·여왕·거인·직공 등 여러 인물들 중 어느 하

나를 골라야 했습니다.

그때 나는 이렇게 생각했습니다. "그냥 각자의 배역을 할당하면 되지, 왜 이렇게 할까? 아무튼 모두가 다 마법사를 선택할 것이 뻔해!"

그런데 마법사가 되고 싶다고 고른 사람은 나 혼자뿐이었습니다. 사람들이 저마다 다른 인물들을 선택했던 것입니다. 나는 '도둑'을 고른 아이에게 왜 도둑을 골랐냐고 물어보았습니다. 대답이 걸작이었습니다. "전 밤에 사람들 눈에 띄고 싶지 않거든요."

이것이 변화와 무슨 관련이 있을까요? 간단합니다. 우리 모두는 서로 다른 기호(嗜好), 서로 다른 견해, 서로 다른 에너지를 지니고 있습니다. 종교 지도자나 철학자 혹은 심리학자들의 말에 따르면 우리는 어떤 목적을 갖고 이 세상에 태어난 존재입니다. 애초부터 원래 있었던 것인지, 아니면 시간을 두고 삶의 목적을 개발한 것인지, 아니면 사는 동안 그 목적이 저절로 진화하여 발전된 것인지 모르겠지만, 아무튼 우리 삶을 의미 있게 만드는 것이 바로 목적의식인 것만은 분명합니다.

덧붙여 말하면, 우리 모두는 능력, 기호, 심지어 가치까지도 서로 다른 조합으로 뒤섞여 있는 존재입니다. 문제는 그런 능력, 기호, 가치를 뒤에서 밀어주는 동력을 찾아내는 일입니다. 즉, 삶의 열정(삶의 목적)이 무엇인지 찾아내야 한다는 뜻입니다. 나의 목적은 '내가 사랑하는 조직과 내가 사랑하는 사람들에게 새로운 생명을 불어넣는 일' 입니다. 이 목적에 부합되는 일을 할 때면 나는 힘이 솟고, 용기도 생기고, 마음이 평화로워지며, 대단한 충족감을 느낍니다. 그리고 그 목적에서 벗어날 때면 왠지 피곤하고, 억지로 내 자신을 질질 끌고 간다는 느낌을 지울 수가 없습니다.

분명한 입장을 취하자

당신 존재의 의미는 무엇입니까? 당신의 삶은 무엇을 위한 것입니까? 당신이 삶을 되돌아보며 "나는 그것을 지지했지. 그러니까 기분이 좋던데……"라고 얘기할 때, 당신을 그렇게 만든 것은 무엇일까요?

아직 늦지 않았습니다. 당신 품성 중 그 부분을 찾아내서 발전시킬 수 있습니다.

몇 년 전, 남미에서 있었던 어느 회사의 경영관리 워크숍에서 회사 경영진이 회사의 새 비전을 제시한 적이 있습니다. 그런데 그때, 우리가 리더십의 변화에 관해 토론을 막 시작할 무렵, 나이 든 임원 몇 사람이 자리를 떴습니다. 나중에 나는 그 임원들 가운데 한 사람에게 다가가 그 사람의 견해를 물었습니다. 그러자 그 사람은 이렇게 말했습니다. "이건 나하고 아무 상관이 없소. 내 정년은 일 년밖에 남지 않았단 말이오." 나는 그에게 이런 말을 들려주었습니다. "그러니 더더욱 행동으로 모범을 보일 수 있는 좋은 시기가 아닌가요? 이렇게 생각하세요. 당신은 회사의 어떤 새로운 방향을 설정할 수 있는 위치에 있어요. 그 위치는 바로 당신이 떠난 뒤에도 여러 해 동안 계속될 좋은 유산을 남길 수 있는 위치지요. 나중엔 당신이 여기에 없어 확인할 수 없겠지만, 만일 남은 일 년 동안 당신이 어떤 행동을 취하지 않는다면 그건 장기적으로 당신이 이 회사에 영향을 미칠 수 있는 좋은 기회를 잃는 꼴이 될 겁니다."

실제로도 그 임원은 수천 명의 그 회사 사람들이 오랫동안 기억할 만한 중대한 결정을 내리거나, 자원을 재배치하거나, 조치를 취할 수 있는 위치에 있었습니다. 그가 회사에 미치는 영향은 회사에 남아 있을 기간보다 훨씬 길었습니다. 그런데 은퇴에 대한 그의 생각 때문에 좋은 유산을 남길 수 있는 기회를 가로막고 있었던 것입니다.

이 이야기의 결말은 해피엔딩입니다. 그는 마지막 남은 일년을 열정을 가지고 새 리더들을 훈련시키고 사업의 새 방향을 준비하는 데 도움을 주면서 지냈던 것입니다.

때로 입장을 분명히 한다는 것은, 우리 자신이 당면한 관심사와 우리가 앞으로 미칠 영향을 분리해서 생각하는 것을 요구하기도 합니다. 그러나 우리는 우리가 무엇을 위해 존재하는지를 알아야 합니다. 실제로 변화의 속도가 점점 빨라지는 시기에 정말 중요한 것은 우리가 무엇을 위해 존재하는지를 아는 일입니다. 그렇지 않으면 우리는 바람에 날리는 깃털과 같은 존재에 불과합니다. '새로운 신념' 첫 번째(안정과 변화 모두 정상적인 것이다)를 기억하십시오. 당신이 취하는 태도나 입장

은 안정의 한 부분입니다. 그것으로 당신은 중심을 세우고, 변
화를 꾀할 수 있습니다.

▶ 당신은 언제 분명한 입장을 취해 보았는가? 개인적
인 위험을 무릅쓰고 자신의 태도를 분명히 밝힌 적이 있는
가?(가령, 직장을 잃거나 아니면 당신에게 아주 중요한 무엇을
잃을 수 있는 위험 속에서도 당신의 입장을 분명히 밝힌 적이
있는가?)

▶ 당신의 삶에 대해 한 문장으로 써보라. '내'가 갖는
의미의 본질과 자산은 무엇인가?

▶ 당신이 가장 소중하게 여기는 가치에는 어떤 것들이
있는가?(예를 들어 가족, 영향력, 업적, 부, 학력, 명성, 봉사, 우
호관계 등) 당신이 최고로 여기는 가치들이 불가피하게 서
로 어긋날 때(가령, 직장생활과 가정생활이 상충할 때) 어떤
일이 발생하는가?

바보들은
항상
결심만 한다

자신의 입장을 분명히 밝히고 고수한 사람으로 당신이 존경하는 사람은 누구인가? 그 이유는? 이것에 비추어 당신에게 중요한 것은 무엇이라고 생각하는가?

두 번째 품성
당신의 신념과 전제는 무엇인가

조직 개발 분야(조직의 변화와 적응을 연구하는 분야)의 선구자 가운데 한 사람인 크리스 아기리스(Chris Argyris)와 대화를 나누던 중에 제기한 문제가 하나 있었습니다. 그것은 사람들이 진실을 말하지 않는 경우가 많다는 것입니다. 그는 사람들이 어느 상황에 맞닥뜨렸을 때 종종 왜 최선의 대처방안과는 다른 말과 행동을 하는가 궁금해 했습니다. 그가 주목했던 것은 바로 우리의 '말' 로 표현하는 신념과 '행동' 의 신념이 다르다는 사실이었습니다.

우리가 어떤 말을 하거나 행동을 할 때 사실은 우리 머릿속에서 많은 일들이 일어나고 있습니다. 다음은 우리가 하는 말(의사소통)을 왜곡시킬 여지가 있는 것들을 예로 들어본 것입니다.

- 상대방에게 멋있게 보이고 싶고, 무슨 죄의식이나 수치심은 피하고 싶은 마음

- 남에게 상처를 주고 싶지 않은 마음 – 남들이 죄의식이나 수치심을 느끼지 않도록 도와줌

- 상대방이나 맞닥뜨린 상황을 믿지 않고 되도록 조심스럽게 말을 함

- 상대방에게서 읽을 수 있는 간접적인 메시지(목소리의 고저, 제스처나 표정, 단어의 선택 등)에 따라 대응함

- 과거 감정에 따라 반응을 보임(가령, 상대방이 과거에 정말 인색했던 한 친척 얘기를 꺼내면 마치 상대방이 그 친척인 양 대응함)

바보들은
항상
결심만 한다

- 어떤 무의식적인 신념 체계에 따라 반응을 보임(가령, 자기만의 독단적인 신념 체계를 지닌 사람의 경우 다른 사람이 제시한 정보를 무시하거나 그 사람을 비난하고 매도할 수 있음. 또는 누가 무슨 일을 시킬 때까지 기다리는 경우도 있음)

- 자기 자신의 진정한 감정과 욕구와 의향을 전혀 알지 못함

진정한 의사소통에 방해가 되는 위의 사항들은 바로 우리가 지닌 전제, 즉 우리만의 '신념'에 기인한 것입니다. 문제는 이런 전제들이 대개 무의식적이라는 데 있습니다. 우리는 자신이 무슨 말을 하는지, 지금 느낌이 어떤지 알 수 있지만 우리의 말과 느낌 뒤에 어떤 전제가 있는지는 제대로 의식하지 못합니다.

몇 해 전, 심리학자 아쥔(Azyun)과 피쉬베인(Fishbein)이 『신념, 태도, 의향, 그리고 행위』라는 제목의 재미있는 책을 내놓았습니다.

그들이 보이고자 했던 부분은 다음과 같습니다.

하나의 신념 (예: 변화는 비정상이다)이 몇 가지 태도(예: 변화에 대한 부정적인 태도나 변화에 대한 두려움, 변화를 원하는 사람

에 대한 부정적인 태도)로 바뀐다. 그 다음에는 이런 태도들이……

여러 의지 ("내 위치에 위협적이라면 그 어떤 변화도 난 거부할 거야." "난 그런 변화 무시해. 그건 일시적인 현상이라고." "변화가 있을 만한 증거를 대보라고. 그럼 참여할 테니.")로 이어진다. 그리고 궁극적으로는 이런 의지들이……

다양한 행동 (태업, 병, 학습 거부, 비난 등)으로 나타난다.

열쇠는 우리의 태도와 의지, 행동 뒤에 어떤 전제와 신념이 있는지 제대로 알아야 한다는 것입니다.

여기에 이런 질문이 있을 법하다. "어떤 신념이 있다손 치더라도 내가 그걸 의식하지 못하는데 어떻게 알 수 있단 말이오?" "그리고 그게 왜 중요한 겁니까?"

우리가 지니고 있는 근본적인 전제나 신념을 알려고 노력하는 일은 그 전제나 신념이 우리의 생각과 느낌, 행동에 지대한 영향을 미치기 때문에 중요합니다. 더 광범위하게 얘기하면,

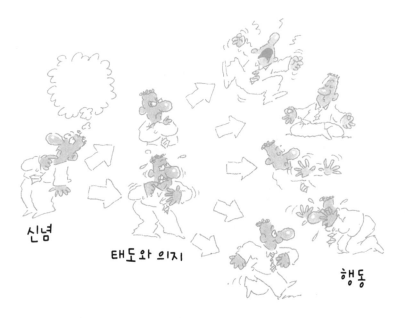

신념

태도와 의지

행동

몇 가지 태도 → 여러 의지 → 다양한 행동

그 전제나 신념이 우리의 인생관, 인간관계, 우리가 해야 할 일을 창조하기 때문입니다.

물론 그 신념이 시대에 뒤떨어진 것일 수도 있고, 또 지금의 우리에게 도움이 되지 못하는 것일 수도 있습니다. 예를 들어, 권위적이거나 독단적인 신념 혹은 의존적인 신념 등은 더 이상 쓸모가 없습니다. 즉각적인 정보와 참여를 요구하는 이 시대에 지배적인 상사와 의존적인 부하는 새로운 통찰력을 키울 수도 새로운 욕구를 만족시킬 수도 없습니다. 그런 사람들은 실패를 향해 질주하는 사람들이라고 해도 과언이 아닙니다.

위의 첫 번째 질문, "어떤 신념이 있다손 치더라도 내가 그걸 의식하지 못하는데 어떻게 알 수 있단 말이오?"로 돌아가 봅시다. 대답은 "알 수 있다."입니다.

아래는 신념을 알 수 있는 몇 가지 단서입니다.

▶ 당신이 자주 불편함을 느끼거나 별 흥미가 없다고 느끼는 상황

▶ 거듭 반복해서 나타나는 문제점

▶ 아이디어, 개인, 혹은 집단에게 내보이는 지극히 부정적인 반응이나 지극히 긍정적인 반응

▶ 방어적인 행동을 하는 시기

이런 단서들이 발견되면 자신에게 이런 질문을 던져보십시오. "내가 무슨 행동을 한 거지?"(혹은 "내가 무슨 말을 한 거지?") "무슨 의도였지?" "그 의도 뒤에 어떤 태도가 있는 걸까?" "내 행동과 말 뒤에는 과연 어떤 신념이나 전제가 있는 걸까?"

바보들은
항상
결심만 한다

"그 신념이 과연 타당한 것인가, 아니면 바꿀 필요가 있는가?"
(제1장에서 배운 '말'로 표현한 신념과 '행동'의 신념을 명심하여,
실제로 당신의 행위를 이끌어낸 것에 초점을 맞추어야 한다. 즉, 당
신이 누구를 설교할 때 '~하라'고 하는 희망의 행동이 아니라 당신
의 실제 행동에 초점을 두어야 한다.)

보다 구체적으로, 다음과 같이 '왜(why)'라는 질문을 계속
던져보십시오.

"오늘 회의에서 내가 몇 사람에게 무례한 행동을 했지." (하
나의 행동)

왜? 내 의도가 뭐였지?

"멋있게 보이고, 내 관점이 더 타당한 것처럼 보이게 하려고."

왜? 그 이면에 어떤 태도가 있는 걸까?

"나는 통계를 많이 인용하고 합리적인 듯 보이는 주장에는
적극적으로 동조한다. 그러나 감정적이고 비과학적인 정보는

신뢰하지 않는다. 내가 무례하게 대했던 사람들은 바로 감정적이고 주관적인 주장을 펼친 사람들이다."

왜 나는 합리적인 주장과 감정적인 주장에 이렇게 다른 느낌을 갖는 걸까? 그 이면에 어떤 **신념**이 있는가?

"조직이든 사람이든 최선의 경우는 합리적이고 과학적인 성향을 나타낸다. 나는 항상 '최선'의 것이 무엇인지, 그 모범이 되어야 한다."

우리의 행위를 유발하는 것이 무엇인지 그것을 이해하려는 노력은 품성의 문제입니다. 우리는 매일 많은 사람들과 교류합니다.(따라서 영향을 주고받는다.) 이런 점에서 우리는 인간관계의 상호작용에 따른 결과에 책임을 져야 합니다. 그리고 우리는 우리를 이끄는 것이 무엇인지, 관찰하고 이해할 수 있는 능력을 지녀야 합니다.

그 다음에 우리가 개척해야 할 영역은 인간의 마음과 감정의 영역입니다. 변화의 시대에 성공을 거두기 위해선 우리가 – 지금이라도 – 조용히, 창조적으로, 우리 내면으로의 여행을 시작할 수 있어야 합니다!!

▶ 지난 달에 당신이 내렸던 결정에 대해서 생각해 보라. 그 결정의 이면에 어떤 전제와 신념이 깔려 있는가?

▶ 당신에게 거듭 반복해서 나타나는 문제는 무엇인가? 그런 문제들이 발생할 때 당신은 어떤 행동을 취하고, 어떤 생각을 하고, 어떤 느낌을 받으며, 어떤 말을 하는가? 지금 스스로에게 물어보자. 왜 그런 식으로 행동하고 반응을 보였는지. 마지막에 어떤 신념에 도달할 때까지 '왜 (why)' 라는 질문을 계속 던져보자.

"다른 사람이 내 견해에 반박하고 나설 때 나는 왜 방어적으로 돌변하고 화를 내는 걸까?"
"내가 모자라는 사람이란 느낌을 받기 싫어서!"
"왜 나는 모자라는 사람이란 느낌을 받기 싫은 걸까?"
"능력 있는 사람으로 보이고 싶어서!"

"그럼 난 왜 능력 있는 사람으로 보이고 싶은 걸까?"

"능력이 있어야 인정을 받으니까!!"

"왜 나는 인정을 받고 싶은 걸까?"

"다른 사람의 시각이 내 자신의 가치를 결정하니까!!"

빙고!! 이것이 바로 당신의 신념입니다!!!

"내 자신의 가치에 대한 신념을 바꾸면, 가령 '내가 내 가치의 심판자가 되면' 어떻게 될까?"

감정을 활용하라

시대가 바뀌고 있습니다. 우리는 감정이 인간적인 것의 상당 부분을 차지하고 있다는 사실을 알고 있습니다. 더 나아가 우리의 감정을 움직이게 만들 필요가 있습니다. 감정은 창조성, 헌신, 위험 감수, 혁신, 그리고 위대한 리더십을 더욱 활기 있게 만드는 에너지원입니다. 우리는 자신의 감정을 변명하거나 숨기기보다 다른 사람에게 피해를 주지 않도록 감정을 조절하면서 그 감정의 에너지를 어떻게 하면 자유롭게 해방시킬 수 있는지 그 방법을 배워야 합니다.

불안, 흥분, 두려움, 열정, 저항, 반항, 갈등, 헌신 – 이 모두가 감정이며, 바로 '움직임의 원천'입니다!

그런데 묘한 것은, 우리가 그 동안 이 강력한 힘의 원천을 억압해 왔다는 사실입니다. 우리는 직장에서 감정을 드러내지 말아야 한다고 배워왔습니다. '갈등 조절'을 얘기하면서 동시에 획기적인 사고와 에너지를 갈망합니다. 변화가 일어날 때면 감정이 그 힘을 펼치며 전면에 나서지만 그에 반하는 통제와 금기 역시 그 세력을 펼칩니다.

정치적으로 올바른 우리의 조직 자아는 이렇게 말합니다. "감정을 다스리고 억압하라!"

그러나 생각해 보십시오! 우리가 불안감을 느낄 때, 저항과 염려의 감정을 느낄 때 – 우리는 실제로 살아 있다는 느낌을 다시금 받는 것입니다.

가령 당신이 조직 개편, 전략 수정 혹은 시장 변동, 새로운 기술, 새로운 절차와 과정, 몇몇 새로 조직된 팀에 들어가라는 요구를 받습니다. 이것은 당신의 개인적인 삶에 어떤 변화가 일어나고 있는 것이거나, 아니면 곧 변화가 일어나리라는 경고입니다. 당신은 불안감을 느낍니다. 당연히 현상을 방어하고픈 생각이 듭니다. 당신 생각에 지금 '잘 진행되고 있는' 것을 보호하고 싶습니다. 당신의 감정은 이렇게 외칠지 모릅니다. "이

바보들은
항상
결심만 한다

변화를 멈추게 하라!'

그런데 당신의 감정이 사실은 의식을 불러일으키는 신호음이라면 어떻게 될까요? 그 감정이 이렇게 얘기한다면? "주의하라 …… 뭔가 중요한 일이 일어나고 있다." "뭔가를 배울 수 있는 기회가 올 것 같다." "뭔가가 바뀌고 있다 ……" 또 이렇게 얘기한다면? "이번이 내 신념을 검증할 기회인지도 모른다." 왜냐하면 당신의 신념(가령, '이번 변화는 위험천만한 변화이다') 이 바로 당신의 감정을 불러일으킨 원인이 될 수 있기 때문입니다.

변화에 직면한 초기에는 무엇을 해야 할지, 어떻게 대응해야 할지, 모든 게 분명치 않습니다. 저항을 하면서 방해하고 – 현상을 방어하기 위해 승강구를 닫고 대포를 꺼내 만반의 태세를 갖출 것인가? 아니면 방패를 꺼내 몸을 보호하면서 앞으로 전진하여 백기(항복의 백기가 아니라 새로운 제안에 귀기울일 준비가 되어 있다는 신호의 백기)를 싸움터의 한가운데 꽂을 것인가?

또 다른 문제는 변화가 일어날 가능성이 너무 이른 초기 단계인 경우입니다. 이 경우, 당신이 굉장히 용기 있는 사람이라면 아마 당신은 최전선에 뛰어들어 온갖 난관을 무릅쓰고 결국엔 승리자가 될 것입니다. 만일 당신이 다소 보수적인 사람이라면 기다리면서 준비를 갖추고, 그러다 다른 사람이 참여하여 행진을 시작하면 힘을 모았다가, 모든 사람과 모든 세력이 합세하면 그때 동참할 것입니다.

그러나 당신이 매우 소심하고 무엇을 지지하고 나서야 할지 확신을 갖지 못한다면 당신은 아마 몸을 숨기거나 저항을 하고 나설 것입니다.

분명한 '정답' 은 없습니다. 어떤 사람들은 히틀러의 '신질서(new order)' 에 대항하여 자신의 태도를 분명히 하고 맞서 싸웠습니다.(그들은 일종의 낡은 '현상' 을 지지하는 사람들이었다.) 남아프리카의 어떤 사람들은 인종차별 정책을 펴는 정부에 대항하여 용감하게 싸움을 벌였습니다.(그들은 '현상' 과 맞서 싸운 사람들이었다.)

나는 신기술로 인한 변화 때문에 고객 친화 기업이 되지 못

감정은 하나의 신호이다

하는 점을 지적하며 신기술에 반대하고 나선 용감한 사람들을 본 적이 있습니다. 이러한 여러 입장 표명은 서로 다른 결정과 행동으로 이어지는 것이 보통입니다.

감정은 어떤 식으로든 입장 표명을 하라는 신호입니다. 전제에 도전하고 학습하기를 요구하는 신호음인 것입니다. 우리의 감정은, "잠깐! 행동에 옮기기 전에 이것을 고려하라!" 혹은 "여기서 조심하라!"와 같이 주의를 촉구하는 신호입니다. 감정은 늘 우리에게 또 다른 활력의 단계를 생각하고, 그 방향으로 움직이기를 촉구하는 신호입니다.

때로 감정은 우리의 안전지대를 자극하여 우리가 진정 누구인지 그 깊숙한 곳까지 도달하게 하고, 결정적인 순간을 위해 보관해 둔 에너지 저장소에서 언제든지 에너지를 공급받을 수 있도록 대비하라는 신호를 보냅니다.

또한 감정은 우리를 주변의 다른 사람들과 한데 묶어주는 역할도 합니다. 감정은 공동체의 신호입니다. 어떤 문제를 혼자 다룰 필요가 없다고 말하는 것이 감정입니다. 당신이 지금 느끼고 있는 것을 다른 사람들도 똑같이 느낄 수 있기 때문입니다!

처음에 당신의 감정은 아마 저항감 같은 것일지 모릅니다. 그리고 저항감은 최초이면서 최선의 반응 또는 최후이면서 최선의 반응일 수 있습니다. 그러나 당신의 감정을 살펴 그런 불편함을 촉발한 것이 무엇인지 발견하기 전까지는 그 감정의 메시지를 잘못 해석하지 않도록 조심해야 합니다. 우리 모두가 긍정적인 변화를 위협으로 생각하고 싶지는 않기 때문입니다! 흔히 우리의 감정은 초기엔 무엇이 부정적인 변화이고 무엇이 긍정적인 변화인지 구분을 하지 못합니다. 그러니 자칫 잘못 해석하면 그것처럼 위험한 일은 없습니다. 행동을 하기 전에 시간을 두고 많이 생각하십시오. 인생이 변화와 안정으로 이루어져 있다는 사실을 기억하고, 인생에서 가장 큰 위험과 위기가 가장 영광스러운 기회가 될 수도 있음을 망각하지 말아야 합니다.

중요한 점은 감정이 바로 우리 주변에서 뭔가 중요한 일이 일어나고 있음을 알려주는 하나의 신호라는 사실입니다. 처음에는 그 신호가 경고의 신호인지, 아니면 환영의 신호인지 분명하지 않습니다. 각자 '품성'을 지닌 한 사람으로서 자신의 격한 감정을 하나의 신호로 보고 그것에 유의하여 행동하는 것이 필요합니다.

한 회사에서 업무 평가 관리 시스템을 종전의 관리자에 의한 평가 시스템에서 고객과 주요 소비자의 피드백을 활용하는 시스템으로 전환하기로 결정했습니다. 또한 이 새로운 시스템은 담당자가 각자의 피드백 과정을 관리하도록 하였습니다. 그러자 많은 관리자들이 감독권을 상실할지도 모른다는 두려움에서 새 시스템 도입에 반대하고 나섰습니다.

나는 그들과 토의하는 과정에서 저항의 근원이 무엇인지 알아내려고 노력하였습니다. 표면에 떠오른 중요한 문제는 직원들에 대한 그들의 신념("그들은 신뢰할 수가 없다.")과 관리자 역할에 관한 오해였습니다. 우리는 함께 관리자 역할과 권위에 대해 명확히 하고, 직원들이 자신의 피드백을 책임질 수 있는 상황이 어디까지인가를 확인하였습니다. 또한 종래의 업무 평가 시스템에서 드러난 공통의 문제점(자기만 이득을 보려는 게임 플레이, 정보를 독점하려는 경향, 판단을 내리는 데 있어서의 관리자의 불편함 등)도 살피고, 또 그것을 새 시스템에서 드러날 수 있는 문제점과 비교·분석하였습니다. 그리고 우리는 관리자나 직원들의 성공을 위한 지원계획도 마련하였습니다.

결국 저항이 새 시스템을 더 바람직한 방향으로 실행될 수 있게 만드는 여러 계획으로 이어졌습니다.

▶ 당신은 언제 두려움과 불편함을 느끼며, 그것에 어떻게 대응하는가?

▶ 갑자기 방어 자세를 취하고 싶은 마음이 들거나, 불안, 위협 등을 느끼면 어떻게 대응하는가? 어떻게 당신 자신을 보호하며, 어떻게 그 '위협'에 담긴 진정한 메시지를 읽어내는가?

▶ 당신은 언제 방어적인 자세를 취하고 위협받는다는 느낌을 받았는지, 언제 도전받는 느낌을 받았는지, 그리고 언제 더 나은 위치에 들어섰다는 느낌을 받았는지 기억해 낼 수 있는가? 어떻게 해서 그런 일이 일어났는가? 그리고 어떻게 당신은 그 어려운 시기를 겪어냈는가?

▶ 현재 당신의 개인적인 삶이나 직장 생활에서 일어나고 있는 일 가운데 어떤 식으로든 당신의 삶에 변화를 줄 수 있는 것은 무엇인가? 당신은 그것을 위협이라 생각하고 대

응했는가, 아니면 기회라 생각하고 대응했는가? 좀더 넓은 관점에서 그 변화가 무엇인지 탐구할 수 있는 여유를 갖기 위해 어떤 일을 할 수 있는가?

▶ 당신이 현재 직면한 가장 큰 위협 요소는 무엇인가? 그 위협에 대응해야 한다면 그것을 어떻게 성장 경험, 즉 기회로 전환시킬 것인가?

▶ 당신이 불안하게 느끼는 새로운 변화가 분명히 '나쁜 변화'라면 어떻게 당신의 불안과 염려를 하나의 통찰력으로 바꾸고, 그 다음에 필요하다면 그것을 어떻게 변화를 중단시키는 힘으로 확장시킬 것인가?

네 번째 품성
당신의 세계에
더 많은 가치를 부여하라

당신이 주변에 같이 있었으면 좋겠다고 생각되는 사람들 – 당신의 삶에 어느 면에서든 영향을 미치는 사람들 – 에 대해 생각해 보십시오. 당신이 따르고 싶은 사람, 친구로 삼고 싶은 사람을 생각해 보십시오. 그들은 어떤 사람들입니까?

우리들 대부분이 좋아하는 사람, 우리가 매력적이라 생각하는 사람은 희망을 지닌 사람, 낙천적이고 뭐든 할 수 있다는 인생관을 가진 사람입니다. 우리는 에너지를 좋아합니다. 우리 모두는 생동하는 삶을 원합니다.

과거의 시각에서 보면 이 우주는 경쟁, 자연도태 등 큰 법칙이 지배하는 커다란 기계적 시스템으로, 우리 인간은 아무런 영향력도 행사할 수 없고, 우리의 미래는 상당 부분 이미 예정되어 있는 것으로 생각되었습니다. 따라서 그 우주의 법칙, 자연의 법칙을 이해하고, 행사하고, 그리고 그 법칙에 맞추어 살아가려고 노력하는 것이 인간으로서 우리가 할 수 있는 최선의 일이었습니다.

오늘날 과학자들은 비록 이 우주(그리고 그 조직)가 더 복잡해지고 있지만 그것을 진화시킬 수 있는, 즉 개선하고 발전시킬 수 있는 방법이 많다고 믿습니다. 그렇다면 무엇이 그 방향을 결정할까요? 많은 것들이 있을 수 있습니다. 그리고 그 결정 요인 가운데 당연히 우리의 행동도 포함됩니다. 우리는 '공동 창조자'입니다. 그런데 우리는 우리의 영향력의 힘이, 또 그 크기가 어느 정도인지 제대로 알지 못합니다.(포스트 잇을 처음 발명한 사람은 떼었다 붙였다 할 수 있는 접착제를 찾아냈을 때 그 영향력이 어느 정도일지 결코 알지 못했을 것이다.)

요즘 과학자들이 즐겨 언급하는 것 가운데 하나가 '나비 효과(butterfly effect)'입니다. 궁극적으로 따져보면 이 얼마나 낙관적인 진술입니까? 아프리카 해안에서 나비 한 마리가 펄럭인

날개짓이 반대편의 플로리다 해안에 허리케인을 일으킬 수 있다는 것입니다.

가치를 더하라 영향을 미쳐라

그러나 그 날개짓은 그냥 공기 중에서 흩어져 사라질 수도 있습니다.

따라서 우리 각자가 해야 할 일은 나름대로 자신의 '날개짓'을 하되 기백과 활기를 가지고 힘차게 하는 것입니다. 우리가 맡은 작은 분야에서, 때로는 아주 큰 분야에서 커다란 영향을 미칠 수 있는 존재입니다. 낙관과 희망은 서로의 관계, 상호작용의 바탕 위에 세워지는 것입니다.

실천의 길 이 네 번째 품성의 핵심은 당신 스스로가 영향력을 미칠 수 있는 사람처럼 생각하고, 행동하고, 일하고, 살아가라는 것입니다.

어떻게 할 수 있을까요? 우리의 작은 행동들이 실제로 어디에 영향을 미칠 수 있을까요? 다음과 같은 행위의 여파에 대해 생각해 보십시오.

감사 긍정적인 피드백인 감사는 엄청난 '증폭' 효과를 갖습니다. 뭔가 잘 안 된다고 벌을 주기보다는 잘 진행되는 일에 감사하고 칭찬하면 작은 변화를 가져올 수 있고 분명 효과가 있습니다. 벌은 사람을 위축되게 만들거나 방어적이고 수세적인 태도를 취하게 하는 부정적인 감정을 초래하기 때문입니다.

인생에서 중요하고 극적인 많은 변화들은 사실 뭔가 새로운 것을 누군가 지지하고 감사한다고 여길 때 일어나는 경우가 많습니다.

땅바닥에 붙어서 몸을 움직일 수 있는 최초의 물고기가 있었습니다. 그런데 그 물고기에게 다리가 하나 생겼습니다. 그 다리 덕분에 물고기는 물기가 없는 마른 육지를 걸어 다닐 수 있게 되었습니다. 그 물고기는 우리가 말하는 이른바 '긍정적 강화 효과(positive reinforcement)'을 얻은 셈입니다. 원래 물고기 몸뚱어리는 아마 이렇게 말했을 것입니다. "틀렸어. 원래 물고기는 다리가 없어." 그런데 이런 '부정적 강화 효과(negative reinforcement: "틀렸어.")와는 달리 새 다리는 분명 이렇게 소리쳤을 것입니다. "만세! …… 얼마나 재미있는지 …… 할 수 있는 게 하나 더 생겼어 …… 나도 걸을 수 있다고!!'

그 다리는 우리가 말하는 '진화의 우성(優性)'을 제공하고 있는 것입니다. 때로 진화라는 변화는 오랜 기간 드러나지 않고 제대로 인지되지 않은 채 진행되기도 합니다.

자녀를 키우는 부모라면 고마움과 칭찬을 표현하는 긍정적인 행동이 자녀의 에너지와 자신감을 발산시키는 데 얼마나 커다란 힘을 가지는지 잘 알고 있을 것입니다. 부정적인 피드백과 통제 – 물론 때로는 이것도 필요하지만 – 가 전반적으로 존중하고 칭찬하는 환경이 조성되지 않은 상태에서 이루어진다면 그것은 아이를 망가뜨리는 결과를 초래할 수 있습니다. 그런데 많은 사람들이 이 사실을 너무 어렵게, 일이 한 번 터지고 나서야 깨닫는 것 같아 안타깝습니다.

희망과 낙관 희망과 낙관은 변화를 자극하고, 끌어들이고, 확대하는 힘입니다. 희망과 낙관은 인간의 정신을 사로잡고, 인간의 정신을 불러일으키는 힘입니다. 실제로 모든 올림픽 선수들, 모든 위대한 지도자들, 끔찍한 사고나 죽음의 질병에서 살아남은 많은 생존자들은 거의 전부가 희망적이고 낙관적인 태도를 지닌 사람들입니다. 그들은 자신들의 목표를 생각합니다. 그들은 승리를 생각합니다. 그들은 그들 삶의 목표에 집중합니다. 장애물이 있으면 그것을 뛰어넘는 자신의 모습을 상상합니다. 때로는 그들 자신이 장벽을 쌓고, 자신의 '친구' 들을 위협하기도 합니다. 그들은 늘 웃으며, 희망적으로, 낙관적으로 생각합니다. 승리를 거두든 패배를 당하든(승리를 거둘 확률이 훨씬 높다.) 그들의 삶은 희망 때문에 더 나은 삶으로 발전합니다. 그리고 주변에 있는 사람들 역시 그들의 성공에 어떻게

든 큰 도움을 주는 사람들입니다.

긍정적인 피드백과 낙관주의, 희망과 존중이 우리 자신이나 다른 사람들, 혹은 직장이나 지역사회에 근본적인 변화를 가져다주는 데 중요한 열쇠가 된다는 사실을 깨닫는 데에는 많은 지혜가 필요치 않습니다. 그럼에도 많은 사람들은 영광과 희망의 횃불이 되기를 두려워하고 있습니다.

왜 앞에 서서 이렇게 외치지 못합니까? "자, 이게 바로 우리가 해야 할 일이다!" "정말 용기를 내서 잘 한 일이야." "비록 불가능해 보일지라도 우린 할 수 있어." "자네, 정말 잘했어!" "안 될 것처럼 보였는데 당신이 해냈어." "그래, 이게 잘 안 됐지. 그래도 좋은 경험이 되었으니 나중에 분명 써먹을 데가 있지 않겠어?" "어렵더라도 이렇게 하는 게 옳은 일이지." "용기를 내야지. 자넨 할 수 있어!"

비즈니스와 조직의 세계 – 일반적인 인간 사회 모두 – 는 부정적인 피드백을 받으면 극단으로 치닫는 경향이 있습니다. 부정적인 피드백은 미래의 성공을 방해하는 방어적인 감정과 두려움을 촉발합니다.

왜 낙관과 희망의 목소리를 내지 못합니까? 왜 긍정적인 피

긍정적인 감정과 부정적인 감정의 영향

드백의 목소리를 내지 못합니까? 그렇다고 지나칠 정도의 낙천가가 되라는 소리는 아닙니다. 단지 좋은 말, 멋진 말 몇 마디면 되지 않습니까? 그냥 아무렇게나, 사실에 근거를 두지 않는 찬사를 남발하라는 말이 아닙니다. 다만 이 세상에, 직장에 너무 부정적이고 남의 잘못만을 지적하는 피드백이 많아 좀 '긍정적인' 언사를 해도 크게 문제될 것이 없다는 말입니다. "성공은 '할 수 있다'에 있지, '할 수 없다'에 있질 않습니다."

당신이 벌보다는 상대방을 좋은 쪽으로 더 많이 내세우고, 비판보다는 건전한 아이디어를 더 많이 제공할 때, 변화의 과정에서 당신의 역할이 극적으로 바뀔 수 있음을 알게 될 것입니다. "할 수 없다." "실패했어."보다 "할 수 있다." "해냈어."의 비중을 높이십시오. 가령, 비관적인 말이나 행동 한 번에 낙관적인 말이나 행동 세 네 번 정도로 말입니다. 이것은 결코 '이것 아니면 저것' 식처럼 선택의 문제가 아닙니다.

▶ 당신의 동료들은 당신을 어떻게 보는가? 당신을 변화에 늘 반대하는 부정적인 사람으로 보는가, 아니면 대체로 미래에 대해 희망적이고 낙관적이며 개방적인 태도를 지닌 사람으로 보는가?

▶ 당신은 다른 사람에게 어떻게 영향을 미치는가? 비판? 비난? 아니면 강의식의 훈계로? 아니면 당신은 상대방의 행동이 당신에게 어떤 영향을 미치는지 얘기하는가? 그리고 그 밖의 다른 사람에게도 얘기하는가?

▶ 당신은 동료를 평가할 때 '긍정적인 평가 : 부정적

평가' 혹은 비판적 평가의 비율이 어느 정도라고 생각하는
가?

▶ 당신이 다른 사람을 평가하고 판단할 때 어떤 식으
로 평가 – 부정적인 것과 긍정적인 것 – 를 내리며 말을 하
는지 일 주일 동안 살펴보라. 그리고 그 말에 사람들이 어떻
게 반응하는지, 그 결과로 (당신과의 관계나 그들의 행동에)
어떤 일이 일어나는지 살펴보라.

▶ 당신은 스스로를 어떻게 보는가? 낙천주의자? 비관
주의자? 양쪽 다 나름의 이점은 있다. 만일 어느 한쪽에 무
게가 더 실린다면 그때의 득과 실은 무엇이라고 생각하는
가?

▶ 당신의 '긍정적인 발언 : 부정적인 발언' 의 비율이
당신 주변에서 일어나는 변화에 참여하는 데 어떤 영향을
미치는가? 그리고 그것이 미래의 리더로서 당신의 역할에
어떤 영향을 미치는가?

이 장을 마무리하면서 변화 과정에서 당신은 과연 어떤 사람이 되었으면 좋은지 생각해 보십시오. 어떻게 하면 자기 입장을 분명히 밝히는 사람이 될 수 있을까? 어떻게 하면 자신의 신념과 전제를 아는 사람이 될까? 어떻게 하면 감정을 잘 활용하는 사람이 될까? 어떻게 하면 세상과 주변 사람들에게 더 많은 가치를 부여할 수 있는 사람이 될까? 당신이 그런 사람이 될 수 있다는 사실을 늘 머릿속에 그리며 사십시오.

반대의 경우는 어떻게 될까? 그런 사람은 변화를 회피하는 사람, 어렸을 때부터 무의식적인 신념에 좌지우지되는 사람, 감정에 휩싸여 주변 환경에 부정적 태도만 뿌려놓는 사람입니다.

잠시 앞에서 제시한 두 부류의 입장에서 당신 자신을 생각해 보십시오. 당신의 내면 세계와 외부 세계 모두 당신이 생각하는 것 이상으로 '나는 누구인가?', 즉 '당신의 품성'에 달려 있음을 알게 될 것입니다. 그리고 그 품성이 주어진 것이 아니라 하나의 선택이라는 사실도 알게 될 것입니다.

결론

당신의 정체성과 품성은 당신의 신념과 관련이 있습니다.
신념과 품성, 이 둘은 늘 당신과 함께 있습니다.

물론 당신의 품성에 어울리지 않거나 신념에 어긋나는 일을 해야 하는 상황이 있을 수 있고, 그런 환경에 처할 수도 있습니다.(어떤 큰 보상에 눈이 멀어 혹은 혹독한 징계가 두려워 본연의 자세를 버리고 행동하는 경우가 생길지도 모른다.)

무엇이 바로 그런 '품성에 어울리지 않는' 행동을 하도록 부추기는지 잘 살펴보면 실제로 당신은 품성이 지닌 힘을 알 수 있습니다.

자신의 입장을 굳건히 유지하고, 신념이 무엇인지 잘 알고, 하는 일에 열정과 에너지를 더하기 위해 감정을 잘 활용하고, 자신이 속한 세계에 더 많은 가치를 부여하기 위해 노력하고 헌신하는 사람들. 그들 덕분에 인류는 이 지구상의 복잡한 생

158

바보들은
항상
결심만 한다

명의 그물망에 그만큼 소중한 가치를 더한 것입니다. 그리고 당신 속에 있는 그런 특질 때문에 변화를 검증하고 키워줄 훌륭한 조타수 무리에 합세한 것입니다. 당신은 바로 오늘날, 그리고 미래에, 사회와 정부에 더 큰 이익을 주는 변화를 이끌어 갈 조타수가 된 것입니다.

품성의
힘은?

다음은 여러분의 품성의 힘을 평가하기 위한 설문입니다. 성의 있게 답변하기 바랍니다.

1. 분명한 입장 아래 열거된 항목 가운데 당신이 가장 중요하다고 생각하는 것 세 개만 고르시오.

　_업적

　_자율성

　_가족

　_경제적 안정

　_건강

　_영향력

　_설득력

_충성심

_개인적인 성장

_인정

_인간관계

_안전

_봉사

_기타

당신이 고른 세 가지 가치 각각에 점수를 부여하시오.(나는
이 가치를 충분히 실현하고 있다: 0 = 전혀 그렇지 않다 1 = 드물게
그렇게 한다 2 = 가끔 그렇게 한다 3 = 거의 항상 그렇게 한다)

첫 번째 가치 : _____

두 번째 가치 : _____

세 번째 가치 : _____

위의 세 가지 가치를 보다 충실히 실천하기 위해서 당신이
해야 할 필요가 있는 일이나 포기해야 할 일은 무엇입니까? 그
리고 그럴 가치가 있다고 생각합니까?

2. 자기 이해 당신은 업무와 관련된 당신의 신념을 어떻게 이해하고 있습니까? 다음의 질문은 당신의 품성에 영향을 미치는 신념이 무엇인지 이해하는 데 도움을 주는 질문들입니다. 각각의 질문에 솔직히 대답해 보십시오.

_당신은 관리자와 그 밑의 부하 사이에 적절한 관계가 무엇이라고 생각하십니까?

_당신의 경력 관리에 중요한 사람은 누구라고 생각하십니까? 당신? 경영진? 회사?

_업무와 주변 사람에 대한 불만 가운데서 당신이 제3자에게 털어놓는 불만이 있다면 그것은 무엇입니까? 그리고 불만의 주제는 무엇입니까?

_지난 달에 당신이 업무와 관련하여 내린 결정이 있다면 무엇입니까?

_위의 질문에 대한 대답을 통해 당신의 신념과 전제에 대해 알게 된 것은 무엇입니까?

3. 동기 부여로서의 감정 가장 최근에 직장에서 화가 났을 때는 언제입니까? 그때 당신은 어떻게 행동했습니까?

_벌컥 화를 내어 당신과 주변 사람들 사이에 긴장감을 조성했습니까?

_아무 말 없이 그냥 속만 끓이고 있었습니까?

_화난 감정을 잘 다스려 오히려 그것이 문제 해결이라는 건설적인 행동을 이끄는 계기가 되었습니까?

주변에서 일어나고 있는 일 가운데 당신의 일과 삶에 변화를 가져다 줄 수 있는 것이 있다면 무엇입니까? 당신은 그것을 위협으로 생각하십니까? 아니면 기회로 생각하십니까? 그리고 그것에 어떻게 대응하시겠습니까?

당신이 감정을 변화의 건설적인 힘으로 활용하는 정도는?

0	1	2	3	4	5

나는 감정과
단절된 느낌이다

내 감정과 느낌을
이해하려고 한다

4. 당신의 세계에 가치를 부여하라.

_주변 사람들은 당신을 낙천주의자로 생각합니까? 아니면 비관주의자로 생각합니까? 당신의 태도가 주변 사람들에게 어떤 영향력을 미친다고 생각하십니까?

_당신이 주변 세계에 남길 수 있는 유산은 무엇이어야 한다고 생각하십니까? 지금까지 당신은 주변에 어떤 긍정적인 영향력은 행사했습니까?

_만일 당신이 없었다면 긍정적인 영향으로 존재하지 않았을 것이 지금은 당신 덕분에 존재하는 것이 있다면 그것은 무엇입니까?

당신이 긍정적인 영향력을 행사하고픈 분야가 있습니까? 그런 긍정적인 유산을 남기기 위해 당신은 계속 노력하고 계십니까?

0	1	2	3	4	5
전혀 노력하지 않는다				가치 창조와 가치 부여 속에 내가 원하는 곳에 도달했다	

바보들은
항상
결심만 한다

3

장

강한 행동

제 3 장

강한 행동

궁극적인 의미에서 변화는 행동입니다. 그리고 효과적인 행동은 기술과 지식이 있어야 가능합니다. 신념과 품성도 필요하지만 그것이 효과적인 행동의 충분조건은 아닙니다.

제3장에서는 변화하는 비즈니스 환경 속에서 당신을 경쟁력 있는 선수로 만들어주는 **네 가지 종류의 행동**에 대해 살펴 봅니다.

① 내 자신이 하나의 기업이 되자.

② 정보화 시대의 기술을 개발하라.

③ 자신의 인적 자원 관리자가 되어라.

④ 자신의 변화 과정은 자신이 책임지자.

첫 번째 행동
내 자신이 하나의 기업이 되자

'내 자신이 하나의 기업이 되자' 는 말은 무슨 의미일까? 여기 몇 가지 요구 조건과 그에 따른 제안이 있습니다.

▶ 기업은 돈, 미래에 대한 약속, 더 많은 정보 등의 대가로 상품, 서비스, 정보, 다양한 정서적 혜택(가령 '마음의 평화' 같은 것)을 제공한다.

_제안_ 〈당신의 주식회사(YOU Inc.)〉가 지금 당장 제

공할 수 있거나 앞으로 제공하고 싶은 상품, 서비스, 정보, 정서적 혜택은 무엇인지 파악하라. 그리고 그것들이 시장에서 어떤 값으로 거래될 수 있는지도 파악하라. 당신이 제공하는 것의 가치에 따라 당신 자신을 팔아라.

▶ 기업은 생산성을 최대한 높여야 한다. 최고의 생산성은 비용을 최소화하고 고객에 돌아갈 혜택은 최대화할 때 이루어진다. 문제는 이것이다. "어떻게 비용은 줄이면서 가격은 최대로 높이고, 동시에 고객의 투자에 대해 최고의 가치를 제공할 수 있을까?"

제안 〈당신의 주식회사〉의 비용을 줄일 수 있는 모든 방법을 찾아보라. 가치 증대에 전혀 도움이 되지 않는 보고서는 없는가? 시간 낭비에 불과한 인가 사항이나 재가 사항은 없는가? 불필요하게 업무를 지연시키는 요소는 없는가? 가치 증대에 기여하지 못하는 사람은 누구인가? 당신이 하는 일 가운데 단기적인 관점이나 장기적인 관점에서 정당화될 수 없는 일은 무엇인가? 불필요한 모든 것은 다 없애야 한다.

▶ 　그런 다음에 당신이 제공하는 '산출(outputs)' – 상품과 서비스 – 을 보라. 당신의 상품과 서비스가 그것을 제공받는 사람들에게 더욱 가치 있는 것이 되기 위해선 어떻게 해야 하는지 자문해 보라.(예: 전화기의 기술적인 문제를 해결하는 데 당신이 도움을 줄 수 있는가? 통상적으로 그런 문제점을 그냥 일지에만 기록하고 기술정비 부서에 넘기는 것은 아닌가? 일이 어떻게 진행되는지 알고 싶어하는 고객에게 전화를 걸어 알려주는가? 그래서 당신 기업에 대한 고객의 신뢰를 높이는가?) 비용은 전혀 들지 않으면서 수혜자나 고객에게 커다란 가치를 부여할 수 있는 일을 찾아 실행에 옮기도록 노력하라.

▶ 　기업은 목표를 설정하고 피드백을 받아야 한다.

제안 　당신이 무엇을 할 것인지, 어떻게 할 것인지, 이 모든 것을 당신이 책임져라. 자신의 피드백 과정은 스스로 관리하라. 경제 조직망에서 희생자가 아니라 핵심 선수라고 생각하라. 사람들이 원하는 것이 무엇인지 찾아내어 그들과 협력하고 목표를 창출하라. 당신이 전달하고 제공하는 것을 상대방이 어떻게 받아들이고 활용하는지 계속해서 관찰하고 알아내라. '과거의 업무 세계'에서는 그 일을 관리자나 하는 것으로 생각했다. 이제는 그런 생각을 바꿔야 한다. 당신이 할 일은 스스로 책임져야 한다. 그리고 당신의 일에 대해 결과를 보고받는 사람들로부터 피드백을 받아라. 그 피드백을 잘 활용하면 업무 개선에 도움이 되며, 또한 당신이 인정을 받고 있다는 느낌도 받을 수 있다. 일에 책임을 져라. 당신의 일을 의미 있는 것으로 만들어야 한다. 당신이 책임지지 않으면 누군가 다른 사람이 떠맡을 것이고, 그러면 당신의 삶과 일은 그 과정에서 뭔가 중요한 것을 잃게 된다.

▶ 기업은 수많은 네트워크 – 공급업자, 고객, 관련 사업체, 정부기관, 전문가 집단, 그 밖의 이익단체 등 – 속에 존재한다.

제안 네트워크의 한 부분으로서 〈당신의 주식회사〉가 어떤 모습인지 그림을 그려보라. 당신이 정보와 물건을 주고받는 대상인 사람과 단체도 포함하라. 당신의 일과 연관이 있는 조직도 포함하라. 실제 당신이 속한 어느 기업이나 기관에서의 업무가 아니라 〈당신의 주식회사〉만을 생각해서 그려보라.

▶ 기업은 미래지향적이어야 한다. 기업은 앞으로 있을 추세나 동향, 미래에 요구되는 것, 앞으로의 기술 발전과 기회 및 도전의 양상 등을 눈여겨봐야 한다. 미래를 위해 창출할 수 있는 것이 무엇인지, 폐기처분해야 할 것은 무엇인지 확인하고 제대로 파악하고 있어야 한다.

제안 당신이 미래에 대해 생각하고 탐구할 수 있는 무대가 어딘지 그곳에 뛰어들어라. 책도 읽고, 전문가 모임에도 참석하고, 전 세계적인 추세와 경쟁 상대들의 동향도 파악하라. 당신이 정식 고용인이든 아니면 파트타임 근무자든 당신이 속한 조직이나 기업의 전략 계획이 무엇인지 살펴보라. 〈당신의 주식회사〉가 한 사람만의 작은 기업으로 미래에 무엇을 할 것인지 계획을 세우고 있다고 상상해보라. 여러 가지 선택 가능한 사항을 보면 아마 재미있는 상상이 될 것이다.

▶ 기업은 경쟁력 있는 자체의 핵심 능력이 무엇인지 제대로 알고 있어야 한다. 그리고 그 능력을 보호하고, 개발하고, 더욱 발전시켜야 한다.

_제안_ 당신의 핵심 능력은 무엇인가? 당신이 잘 알고 있고 늘 사용하고 싶은 지식과 기술은 무엇인가? 그것을 찾아내려면 당신이 일을 할 때 언제 가장 활기를 느끼고 살아 있다는 느낌을 받는지 자문해 보라. 난해한 기술적인 문제를 해결할 때인가, 아니면 다른 사람의 학습을 격려하고 발전할 수 있도록 도와줄 때인가? 아니면 어려운 거래를 성사시킬 때? 아니면 복잡한 변화 프로젝트를 주도해 나갈 때? 당신이 열의를 갖고 발휘하는 능력이 비록 점점 시대에 뒤떨어진 것이 될지라도 그 안에는 당신의 미래를 위한 씨앗이 자라고 있다. 당신이 열의를 가지고 발휘할 수 있는 능력에는 무엇이 있는지 적어보고, 장차 그 능력을 지렛대로 삼아 어떻게 활용할 것인지 그 방안을 찾아보라.

▶ 기업은 단기 이익과 장기 이익을 잘 배합해야 한다. 성공한 기업들은 이 두 부분을 잘 처리한다. 그들은 단기 이

익을 최대화하면서 동시에 장기 이익을 위해 투자를 아끼지 않는다. 나는 여러 해 동안 제너럴 일렉트릭의 자문역을 맡았다. 그 회사에는 미래 지향적인 몇 가지 계획 검토 과정이 있다. 모든 직원이 매년 그 과정에 참여하였다. 그 과정에서 만일 단기적인 문제가 발생하여 그것이 걸림돌로 작용한다면 그 문제를 해결하는 데도 역시 노력을 아끼지 않았다. 그것이 그 회사의 윤리 가운데 하나였다. 말하자면 그것은 오늘 최고를 지향하고, 동시에 내일을 준비하고 내일을 창조하는 데 기여한다는 의미였다. 오늘과 내일의 삶에 '최선의 것'을 가져다주는 것, 바로 그것이다!

제안 가끔 우리가, 오늘은 무엇을 하며 시간을 보내고 내일은 무엇을 하고 싶은지 생각하다 보면 그 둘이 서로 쉽게 맞아떨어지지 않음을 발견하게 된다. 이것은 오늘의 경영을 유지하면서 내일을 준비해야 하는 기업에서도 마찬가지이다. 오늘은 하고 싶지 않은 일이지만 내일이 되면 하고 싶을지도 모른다. 그래도 우선은 지금 식탁에 음식을 차려놓고 오늘의 삶을 살아야 한다. 만일 미래의 목표가 오늘의 것과 불화를 이루는 것이라면 앞으로 일을 진행하는 데 힘든 시간을 보내야 한다. "변해야 산다."고 말하는 일반 기업과 마찬가지로 〈당신의 주식회사〉도 두 가지 역할을 동시에 수행해야 할지 모른다. 오늘의 기반을 유지하면서 새

경제 그물망 속의 당신

로운 미래를 준비하는 일 말이다.

바보들은
항상
결심만 한다

당신만의 비즈니스 윤리를 지닌 〈당신의 주식회사〉를 창조해 보십시오.

❶ 당신이 제공할 수 있는 상품, 서비스, 정보가 무엇인지 파악하라.
❷ 생산성을 최대한 높여라.
❸ 목표를 설정하고 피드백을 얻어라.
❹ 당신 자신이 중심이 되는 네트워크를 창출하라.
❺ 미래를 생각하고, 미래를 준비하라.
❻ 당신의 핵심 능력을 파악하고 발전시켜라.
❼ 장·단기 이익과 목표를 동시에 관리하라.

위의 실천사항을 제대로만 실행한다면 당신은 훌륭하고 성공적인 기업이 될 수 있습니다. 미래의 기업이 될 수 있는 것입니다. 당신이 현재 누구든, 어느 직종에 있든, 당신은 〈당신의 주식회사〉가 될 수 있습니다!

정보화 시대의 기술을 개발하라

수렵채취의 사회에서 농경사회로 바뀔 때 (B.C. 3500년 경) 사람들이 어떠했을지 상상해 봅시다. 유목민이 한 곳에 정착해 살면서 마을을 형성하고, 그 마을에서 살면서 필요한 역할과 과정을 익히기 위해 어떤 기술이 필요했을지 상상해 보십시오.

아마 대체로 인간관계 유지에 필요한 기술과 갈등 해소 기술이 점차 중요한 것으로 부각되었을 것입니다. 마찬가지로 법을 만들고 어떤 일을 계획할 때 지적인 기술도 필요했을 것입니다. 또한 씨를 뿌리고 수확을 거두고 동물들의 출산 주기를 파악하기 위해, 토양과 자연의 순환 주기에 관해 더 많은 지식이 필요했을 것입니다. 이런 기술과 지식은 사람들이 끊임없이 이동하며 사냥도 하고, 새로운 환경에서 새로운 적과 마주치며 스스로를 보호해야 했던 시절의 기술과는 사뭇 다른 것이었습니다.

1700년대와 1800년대에 증기기관, 인쇄기, 방직기, 재봉틀, 그 밖의 산업화 시대의 기계들이 출현했을 때, 우리 조상들이 어떠했을지 상상해 봅시다. 사람들(어린아이를 포함해서)이 공장에 '출근'하는 것이 집에서 가내공업을 하는 것과 얼마나 달랐는지, 아무런 계급적 배경이나 귀족 지위도 없는 사람들이 산업화를 통해 '벼락부자'가 되었을 때 농토에 바탕을 둔 부(富)와 더불어 성장한 영지 귀족들의 기분이 어떠했을지, 지난 2백 년 동안 거대 산업체를 계획하고 조직하고 관리하는 데 어떤 새로운 기술들이 필요했는지, 그리고 토지가 아닌 돈이 사회변동과 조직화의 근간이 되었을 때 우리 사회가 어떤 변화를 겪어야 했는지 상상해 봅시다.

각 시대마다 그에 필요한 중요한 기술과 능력이 요구됩니다. 정보화 시대에 들어서면서 우리에게는 테크놀로지가 더욱 일상적인 것이면서도 위험한 것이 되었습니다. 전자공학의 기술

바보들은
항상
결심만 한다

이 인간의 소통, 인간관계, 생산품, 서비스, 디자인 및 생산과정 등에 근본적인 변혁을 가져다주었기 때문입니다.

당신은 이 새로운 정보화 시대에 성공할 준비가 되어 있습니까? 이 끝없이 진화하는 세계에게 요구하는 다음과 같은 기본적인 능력을 당신은 보유하고 있습니까?

- 커뮤니케이팅, 네트워킹, 관계형성 능력
- 의사결정과 문제해결 능력
- 창조적, 체계적, 비판적 사고
- 학습과 교수 능력
- 금융 지식과 비즈니스 지식

커뮤니케이팅, 네트워킹, 관계형성 능력 오늘날 우리가 하는 대부분의 일은 다른 사람과의 협력을 요구합니다. 〈당신의 주식회사〉의 리더인 당신은 고립된 섬이 아닙니다. 우리들 어느 누구도 고립된 섬일 수 없습니다. 다른 사람과 함께 일해야 합니다.

속도와 혁신의 이 시대에 우리는 다른 사람들과 토론하고 의견도 주장하고 갈등도 빚어야 하지만 동시에 다른 사람들의 말에 귀를 기울이며 대화도 해야 합니다.

15년 전에 나는 피터 크렘즈(Peter Crembs)와 공동으로 『솔직함: 업무 수행에 관한 대화』라는 책을 냈습니다. 그 책은 상호 방식으로, 권위나 지위에 상관없이 대화하는 방식, 구체적으로는 관리자와 그 부하간의 커뮤니케이션에 초점을 맞춘 것입니다. 그리고 6년 전, 피터와 나는 그 책의 개정판을 냈습니다. 세계가 요구하는 커뮤니케이션이 엄청나게 바뀌었기 때문입니다. 경제의 그물망이 확대되었고, 따라서 우리도 공급업자, 고객, 관리자, 노조, 노동자 등 다양한 단체 사이의 커뮤니케이션을 포함하지 않을 수 없게 되었습니다. 그래서 책 내용의 범위도 그만큼 확대한 것입니다.

우리 시대가 요구하는 가장 중요한 커뮤니케이션 과제 중 하나는 '누구와도' – 심지어 세 단계나 높은 지위의 '상사'와도 – 동등한 자격으로 대화를 나눌 수 있어야 한다는 것입니다. 지위, 권위, 전문성, 연령, 성별, 경제적 지위, 지리적 여건 등의 차이와 관계없이 우리는 누구와도 대화를 나눌 수 있어야 합니다. 따라서 우리에게 필요한 것은 보다 나은 커뮤니케이션 기술입니다. 갈등이 나쁜 것도 아니고, 논쟁이 나쁜 것도 아닙니다. 이 둘은 만일 그것이 상호 신뢰와 창조적 사고의 환경 속에

바보들은
항상
결심만 한다

서 이루어진다면 우리가 사는 세상에 많은 가치를 더할 수 있습니다. 우리는 그런 환경 속에서 '상대방' 을 파괴하지 않고 대화하는 법을 배워야 합니다.

의사결정과 문제해결 능력 모든 사람이 의사결정을 하고, 모든 사람이 문제를 해결합니다. 바닥 청소를 하는 사람은 비가 오거나 누가 뭘 흘려서 바닥에 문제가 생겼을 때 그것을 어떻게 처리할지 결정해야 합니다. 큰 규모의 조직을 이끄는 사람은 장차 그 조직이 어디로 가야할지를 결정해야 합니다.

제일 먼저 알아야 할 사항은 '모든 사람' 이 모두 의사결정권자이고 문제해결권자라는 사실입니다. 당신이 어떤 문제를 해결해야 하거나 어떤 결정을 내려야 하는 시점이라면 다음과 같은 정보화 시대의 기술이 필요합니다.

▶ 내려야 할 결정이 있고, 해결해야 할 문제가 있다는 것을 인식하라. 나는 회사의 중역들이나 사업가들과 많은 인터뷰를 해왔다. 그런데 한 가지 놀라운 사실이 있었다. 그것은, 그들이 종종 자신이 어떤 결정을 내리고 있거나 문제를 해결하고 있다는 사실을 제대로 인식하지 못하고 있

다는 것이었다. 그들은 그냥 행동하고 처리할 뿐이었다.

▶ 결정을 어떻게 내리고 문제를 어떻게 해결할지 결정하라. 결정을 내리거나 문제를 해결할 때는 두 가지 단계가 있다. 첫째 무엇을 할 것인가 결정하고, 둘째 그것을 실행에 옮긴다. 이 두 단계가 이루어지지 않으면 결정을 내린 것도 아니고, 문제를 해결한 것도 아니다.

당신이 어떤 결정을 내리거나 문제를 해결해야 할 순간이 오면 항상 이렇게 자문해 보십시오. "우리가 최선의 결정을(해결책을 내리려면) 얻으려면 누구를 참여시켜야 하는가?" "그 해결책이나 결정을 실행에 옮기기 위해선 누구를 참여시켜야 하는가?"

이 질문에 대한 대답이 무엇이냐에 따라 당신은 문제 해결이나 의사결정에 누구를 참여시킬지 결정할 수 있습니다. 당신에게는 많은 선택이 있습니다. 혼자서 결정을 내릴 수도 있고, 혹은 다른 사람과 협의할 수도 있습니다. 다른 사람의 자문을 얻어 그것을 당신 것으로 만들 수도 있습니다. 어떤 합의 결정(모든 사람이 그 결정에 동의하거나 아니면 적어도 적극 지지하겠다고 동의해야 한다.)에 다른 사람들을 참여시킬 수도 있고, 그것을 다른 사람들 혹은 누구 한 사람에게 위임할 수도 있습니다.

이런 식으로 의사결정을 하거나 문제해결을 하기 위해서는 특별한 기술과 지식이 필요합니다. 그리고 중요한 것은 모든 사람이 이 능력을 가지고 있어야 한다는 것입니다!

창조적, 체계적, 비판적 사고 "분명한 입장을 취하라." "당신의 전제를 알아라." "당신의 감정을 활용하라." "당신의 세계에 가치를 부여하라." 등의 선결조건을 생각해 봅시다. 이 모든 것은 우리에게 새로운 의식수준을 요구합니다. 그리고 이 새로운 의식수준은 새로운 수준의 사고방식을 요구합니다. 그러면 우리에게 필요한 사고방식은 무엇일까요?

첫째, 오늘날의 세계는 무엇보다도 더욱 많은 비판적 사고를 요구합니다. 다양한 경로를 통해 쏟아져 들어오는 각양각색의 정보를 열린 마음으로 받아들이는 한편, 의심과 경계도 게을리하지 말아야 합니다. "우리가 들은 것이 사실일까?" "충분한 증거가 있는 걸까?" "정보의 출처가 신뢰할 만한 곳인가?" "결론이 이치에 맞는가?" 이런 식으로 비판적 사고 능력을 연마하여 자칫 이용당하거나 잘못된 길로 들어서지 않도록 해야 합니다.

둘째, 이제는 많은 일상 업무를 기계가 대신하고 있기 때문에 우리가 부여할 수 있는 가치가 있다면 그것은 창조적인 가치가 되어야 합니다. 우리는 새로운 계획들을 제시해야 하고, 문제 해결과 요구 충족의 새로운 방법을 찾아야 하며, 비용절감의 방법도 찾아야 하고, 상품과 서비스의 변화도 추구해야 합니다. 여기에는 새로운 사고방식이 요구됩니다. 우리는 곁가지 사고나 비유적인 사고를 통해 낡은 사고의 틀에서 벗어날 수 있어야 합니다.(가령, '썰매처럼 미끄러지듯 달리는 새 기차는 만들 수 없을까?'와 같은 생각) 이러한 종류의 사고는 합리적이고 분석적인 방법과는 다른 뇌의 기능을 필요로 합니다. 미래에는 우뇌를 활발히 움직이는 사람들이 분명 유리한 위치에 올라서게 될 것입니다. 당신은 어떻습니까?

셋째, 우리에게는 보다 체계적인 사고가 필요합니다. 오늘날 우리가 하는 모든 일은 나름의 직·간접적인 효과를 지니고 있습니다. 우리는 우리가 하는 일의 그 모든 결과에 깊이 연루되길 원하지 않습니다. 우리에게는 직접적인 원인과 결과를 초월해서 생각하는 태도가 필요합니다. 물론 우리가 세운 목표에서 분명히 해둘 것은, 오늘 우리가 행하고 결정하는 것이 오늘과

바보들은
항상
결심만 한다

내일 모두에 직접적으로나 간접적으로 긍정적인 결과를 가져다주어야 한다는 사실입니다. 오늘은 긍정적으로 보이지만 언젠가는 혼란과 파괴를 초래하는 – '이곳'의 우리에게는 좋지만 '저곳'의 다른 사람들에게는 나쁜 – 그런 행동은 피해야 합니다.

우리가 체계적인 사고를 통해 내리는 결정 가운데는 장기적으로 더 큰 이득을 얻기 위해 단기적으로는 부정적인 것으로 보이는 결정도 있을 수 있습니다.(가령, 내일의 건강을 위해 오늘 어떤 음식을 금지하거나, 앞으로 히트칠 것을 예상하여 당장은 아무 이득이 없어 보이는 새 아이디어에 열심히 매달리는 경우) 물론 단기적으로나 장기적으로, 지금이나 미래에 모두 긍정적인 결과를 가져다주는 그런 일을 한다면 그 얼마나 멋진 일이겠습니까.

다행히도 우리 모두는 비판적, 창조적, 체계적 사고를 배양할 수 있는 능력을 지니고 있습니다. 빠른 속도로 변화하는 세계에서는 그런 사고 능력이 있는 사람이 분명 유리한 위치에 있으리라는 것은 두말 할 필요도 없습니다.

학습과 교수 능력 내가 학교에 다닐 때는 공부하는 것과 일

하는 것은 분명한 차이가 있었습니다. 보통 우리는 12년, 혹은 16년, 혹은 20년 정도 공부하고 나면 그 후에 일을 한다고 생각합니다. 그런데 오늘날은 사정이 달라졌습니다. 우리의 지식은 계속 공부하지 않으면 낡은 것이 되어버립니다. 그것도 엄청나게 빠른 속도로 낡은 것이 되고 맙니다. 실제로 인간 지식의 모든 분야가 오늘날 커다란 변혁의 시기를 경험하고 있습니다. 때로는 그 근본마저 흔들리고 있습니다. 과학, 경영, 예술 등 모든 분야가 그렇습니다. 그 이유는 정보가 그 스스로 움직이기 때문입니다. 정보가 부족한 경우엔 새로운 아이디어도 잘 생기지 않습니다. 잠깐씩 반짝이는 아이디어가 출현할 뿐입니다. 그러나 정보가 많으면 아이디어는 그만큼 기하급수적으로 증가합니다!

여기에서 우리는 우리 모두에게 필요한 한 가지 커다란 교훈을 얻을 수 있습니다. 그것은 계속 배울 준비가 되어 있어야 한다는 것입니다. 이 말은 여러 매체로부터의 정보에 귀를 기울이고, 정보를 읽고, 또 정보를 추출해내야 한다는 의미입니다. 또한 이 말은 배우기 위해서는 누구와도 대화를 나눌 수 있어야 하고, 다른 사람들의 행동을 관찰할 수 있어야 하고, 스스로 직접 해보고 노력하여 배울 수 있어야 하고, 실패와 성공의 예를 타산지석으로 삼아 배울 수 있어야 함을 의미합니다.

그리고 또한 우리 모두가 가르칠 수 있어야 함을 뜻합니다. 설혹 우리가 의식하지 못하고 있을지라도 다른 사람들도 우리를 보고 배웁니다. 우리의 업무 현장과 가정에 새로운 사람들이 들어올 때 우리에게는 그들의 학습에 영향을 줄 기회가 주어지는 것입니다. 문제는 '당신은 위대한 스승이자 조력자가 될 수 있는가?' 하는 점입니다. 다른 사람이 뭔가 중요한 것을 배울 수 있도록 도와줄 수 있을까? 그들이 새로운 지식과 기술을 습득할 수 있다는 자신감을 갖도록 도와줄 수 있을까? 어려울 때 그들을 후원하고 지지할 수 있을까? 든든한 버팀목이 되어줄 수 있을까? 이런 것들이 우리 모두가 서로 나누어 가질 수 있는 중요한 기술이 아니고 무엇이겠습니까?

금융 지식과 비즈니스 지식 1990년대 중반 미국 품질관리 협회에서 대기업의 중간 관리자 및 최고 관리자 수백 명을 대상으로 설문조사를 한 적이 있습니다. 설문지에는 10개의 질문이 있었습니다. 모두가 기업의 금융 및 경제 분야에 관한 기초적인 질문이었습니다.(예: 기업의 순수 가치는 그 기업의 현금 보유액을 말한다 – 예, 아니오) 그런데 평균 점수가 10점 만점에 3

점으로 나타났습니다!!

안타깝게도 많은 사람들이 기업 경제학을 제대로 이해하지 못하고 있었던 것입니다. 사람들은 수익의 필요성, 투자의 의미, 직원 인건비, 분기별 주주들의 기대치를 만족시키는 일과 핵심 전략 프로젝트를 연기하는 일을 절묘하게 절충하는 일 등을 제대로 파악하지 못하고 있었습니다.

언젠가 나는 남아프리카 기업에서 '직원들의 업무 참여도를 어떻게 높일 수 있을까' 하는 방안을 연구한 적이 있습니다. 그때 처음 알게 된 사실이 하나 있습니다. 그것은 금융 지식이 없이는 일에 효과적으로 참여할 수 없다는 사실입니다.

지금도 나는 이렇게 권고합니다. 어느 기업이든 그 기업이 모든 구성원의 참여도가 높은 기업으로 변모하는 데 필요한 것이 바로 '기초 경제학' 지식이라고. 그리고 이 문제에 관한 한 어느 지위에 있든, 어느 역할을 하든, 모든 사람이 예외일 수 없다고.

당신은 정보화 시대의 기술을 갖추고 있습니까? 커뮤니케이션, 문제해결 및 의사결정, 비판적, 창조적, 체계적 사고, 학습과 교수, 경제학 지식 등 이 모든 부분에서 당신의 능력은 변화하는 시대가 요구하는 수준입니까? 이제라도 당신이 따라가려고 한다면 걱정은 없습니다. 결국 그런 기술들은 평생의 기술로 남습니다. 남아 있는 날 동안 계속 연마하고 닦아야 하는 기술인 것입니다.

정보화 시대의 기술

자신의 인적 자원 관리자가 되어라

많은 대기업들은 산업화 시대를 거치면서 사람들에게 큰 해악을 끼쳤습니다. 그동안 기업들은 피고용인들을 '보살피려고' 노력했습니다. 피고용인들의 자기개발, 경력, 업무 만족도 및 부서배치 등 모든 '인적 자원' 관리를 기업이 떠맡아 결정했습니다. 이를테면 일종의 종속 신화가 지속화되었던 것입니다.("당신의 업무와 당신의 자리를 우리가 결정한다.") 그리고 우리들도 이 신화와 은밀히 결탁하고 있었습니다.

이 신화의 비밀을 벗기면 우리는 모두 경악을 금치 못합니다. 그럼에도 아직 많은 기업과 사람들이 이 종속의 신화에서 헤어나지 못하고 있습니다. 이제는 우리 모두가 자신의 힘을 타인에게 양도하는 일을 멈추고, 직장이나 가정에서 자신을 스스로 돌봐야 할 때입니다.

내가 내 자신의 인적 자원 관리자가 된다는 것은 경제의 그물망 속에서 능력 있는 핵심 주자가 되는 데 꼭 필요한 부분입니다. 물론 그렇다고 다니는 회사나 리더들에게 저항하고 반항하라는 얘기가 아닙니다. 중요한 것은, 당신의 에너지를 보다 큰 목표와 일치시키면서 조직에 더 많은 가치를 보탤 수 있는가 하는 점입니다.

〈당신의 주식회사〉의 최고 경영자인 '당신'이 바로 자신의 발전과 경력, 업무를 관리하는 데 중요한 역할을 해야 하는 책임과 권리를 지니고 있다는 것입니다.

당신이 만일 어떤 조직을 위해 일한다면 당신의 능력을 마음껏 발휘할 수 있도록 도와주는 것이 그 조직으로서도 이익이 되는 일입니다. 그러나 어찌되었든 그것은 당신의 삶이고 당신의 경력입니다. 당신은 경제의 그물망 속의 이곳저곳에서 당신이 보유하고 있는 지식과 기술을 최대한 활용할 수 있습니다. 당신은 결코 조직의 인질이 아닙니다. 이것은 저당 인생이 아니라는 뜻입니다. 당신은 스스로를 돌봄으로써 스스로의 가치를 드높일 수 있습니다. 구체적으로 다음 사항을 명심하십시오.

- 분명한 업무 목표를 세워라.
- 자신의 능력을 발휘할 수 있는 업무를 추구하라.
- 당신 능력의 가치가 어느 정도인지 확인하라.
- 미래에 대한 비전을 세워라.
- 네트워크를 개발하라.
- 적극적인 학습 목표를 세워라.

분명한 업무 목표를 세워라

현재 당신의 기업에서는 어떤 방식으로든 일이 진행되고 있습니다. 그것은 조직에서 일어나는 모든 일이 '현상(status quo)'으로 유지될 수 있도록 모든 요소와 조건들이 배치되고 정렬되어 있기 때문입니다. 이렇게 늘 동일하게 유지되는 요소들과 조건들이 변화를 어렵게 만드는 원인입니다. 당신 스스로가 어떤 목표와 목적을 설정하면 그것이 현상에 저항하는 반대 세력을 모아줄 수 있습니다. 그리고 그런 목표와 목적은 당신이 변화를 실행하고 싶고 변화에 영향력을 행사하고 싶을 때 더욱 중요합니다. 목표는 당신이 성취하고자 하는 것이 무엇인가를 말해주는 것입니다. 목표가 설정되면 당신은 사물의 새로운 조건과 새로운 상태를 볼 수 있습니다. 그런 새로운 시각이 있어야 부수적인 조건들이 따라와 주지 않아도 변화에 힘을 불어넣고 변화를 주도할 수 있습니다.

중요한 것은, 업무 목표를 당신 자신과 변화를 관리하는 데 유용한 '도구' 로 활용하는 일입니다. 당신이 어떤 행동을 먼저 하고, 에너지는 어디에 쏟아 부어야 하는지 결정할 때, 설정된 목표가 있으면 분명 도움이 됩니다. 또한 목표는 중요한 것이든 아니든 어떤 사안이 발생할 때마다 그때그때 대응해야 하는 위험으로부터 벗어나게 해줍니다. 그리고 목표는 여러 작은 행위들, 때로는 아무런 보상도 없는 사소한 행위라도 그것이 당신의 성공을 위해 필요한 것이라면 무심코 지나치지 않게 해줍니다. 비유적으로 말해 당신이 지금 친구 집을 방문한다면, 그 사실을 분명히 알고 있다는 사실이 그곳으로 향하는 발걸음의 의미와 방향을 제시해준다는 것입니다.

당신이 업무 목표를 다른 사람과 함께 설정한다면 조직 내에서의 당신의 영향력을 높일 수 있고, 또 지지도 많이 받을 수 있습니다. 목표를 같이 설정한 동료들이 성공을 위한 조력자가 되는 것입니다. 또한 당신이 당신 목표를 다른 사람과 협의하고 얘기한다면 더 많은 지지와 후원을 얻을 수 있습니다. 당신이 다른 사람들과 상의할 경우, 당신은 먼저 그들이 필요로 하는 것이 무엇이고 그들이 원하는 것이 무엇인지 알아야 합니다. 그리고 그들이 당신에게서 얻는 것에 대해 어떻게 평가하는지도 확인해야 합니다. 이렇게 할 때 당신의 업무에서 더 많은 가치를 창출할 수 있는 것입니다.

당신 자신을 기업 내의 또 다른 기업으로 생각하십시오. 당신이 성취하고자 하는 것은 무엇입니까? 당신 업무에 의해 영향을 받는 사람이나 업무를 평가하는 사람들이 과연 당신의 방향 감각과 그 결과를 함께 공유할 사람인지 분명히 해두십시오. 다른 사람이 그렇게 할 때까지 기다리지 마십시오. 그리고 목표 설정을 어떤 게임이나 관료적 과정으로 취급하지 마십시오. 혹 다른 사람들이 그런 식으로 접근한다 해도 당신은 그렇게 생각하지 마십시오. 목표 설정 과정을 당신의 관리 도구로 전환해야 합니다. 스스로 그 과정을 책임져야 합니다. 당신이 변화 속에 번영을 이루고 변화에 영향을 미치기 위해서는 목표 설정의 과정을 잘 활용해야 하는 것입니다.

에너지가 있는 곳에 행동이 있습니다. 업무를 위한 에너지가 있다면 그곳엔 또한 즐거움도 있습니다. 일과 에너지를 조화시켜야 합니다. 이것은 우리가 열의를 갖고 행할 수 있는 '능력'과 연관이 있습니다.

직장에서든 아니면 어느 환경에서든 당신이 어떤 일을 하는 동안 살아 있다는 느낌을 받고 자신감도 느꼈던 때가 언제였는지 한 번 생각해 보십시오. 그때의 일을 글로 적어보십시오. 그런 다음 그 상황에서 당신이 사용한 지식과 기술은 무엇이고, 어떤 가치를 중요시했는지 열거해 보십시오. 당신이 활용한 기술적인 지식, 인간 관계의 기술, 사고방식, 당신이 성취하고자 했던 결과 등이 무엇인지 생각해 보십시오. 그런 일을 혼자 할 때 행복했는지, 아니면 동료와 같이 할 때 행복했는지도 확인해 보십시오. 그리고 그 보상이 외부에서 이루어졌는지 아니면 당신 내면의 만족으로 끝났는지도 생각해 보십시오. 당신이 그렇게 작성하는 목록을 당신이 열의를 갖고 행하는 '능력의 목록'으로 생각하십시오.

당신 스스로 '능력 점검표'를 작성하고, 그것을 이용하여 현재의 일을 평가해 보십시오. 그리고 직장에서 당신 주변을 둘러보십시오. 당신이 더 하고 싶은 일은 무엇입니까? 당신이 기록한 당신의 능력에 보다 잘 어울릴 것 같은 프로젝트나 일은 없습니까? 당신의 재능과 관심에 더 잘 어울릴 것 같은 일을 다른 팀에서 하고 있지는 않습니까? 그 팀에 당신도 가담할 수 있습니까? 지금 당신이 하고 있는 일 가운데 당신에게 어울리지 않는 부분이 있습니까? 만일 그렇다면 그것을 다른 사람에게 넘길 수 있는 방법은 없습니까?

당신에게는 적합하지 않은 일이지만 다른 사람에게는 적합한 일일 수 있으므로, 그 사람이 누군지 찾아보고 그 일이 그 사람에게 중요한 일인지 따져보십시오.

또 하나 유력한 방안은 당신이 별로 선호하는 일은 아니지만 깊은 의미가 담겨 있는지 확인해 보는 일입니다.

나는 한때 청소원들을 조사한 적이 있습니다. 그런데 그들은 회사의 이미지와 고객의 안전을 위해 그들이 부여할 수 있는 가치를 찾으려고 노력한 결과 바닥을 청소하는 일에서조차 깊은 의미를 발견하고 있었습니다. 내가 알고 있는 석탄 광산의 광부들의 경우도 마찬가지입니다. 그들은 그 혹독한 근무조건 속에서도 "내가 석탄을 캐냈어." "아마 여기 이 땅 속까지 들어온 사람은 내가 처음일 걸."과 같이 말하면서 그들이 하는 일의 의미를 찾아냈던 사람들입니다.

조직 세계에서 당신은 볼모로 잡혀 있는 사람이 되어서는 안 됩니다. 당신은 행복한 삶과 성공을 위해 현재의 일과 미래의 일의 방향을 설정할 수 있는 자유, 선택권, 방안을 지니고 있는 사람입니다. 무력하게 남에게 의존하는 것이 쉬울 수도 있습니다. 그러나 명심할 것이 하나 있습니다. 성공을 거둔 많은 사람들이 말하듯이, 우리를 좌절시키는 요인은 실제 존재하는 것이 아니라 바로 머릿속에서 만들어내는 것들입니다.

예전에 공기업과 사기업의 임원들과 함께 지낸 적이 있습니다. 당시 그들은 수개월 동안 서로의 일을 바꿔서 수행하는 실험을 하고 있었습니다. 당연히 그들은 고도의 잠재 능력을 지닌 사람들로, 모두가 리더십을 발휘하는 위치에 있었습니다. 그런데 인터뷰 과정에서 한 가지 공통적인 성공 요인을 발견할 수 있었습니다. 그것은, 그들이 '동의를 상정하여('다른 사람들이 당연히 따라와 주겠지.'라고 생각하며)' 업무를 추진한다는 사실입니다. 말하자면 그들은 누구의 허락도 구하지 않고 그들이 옳다고 생각하는 일을 자신 있게 수행하는 사람들이었습니다. 옳은 일이라면 '정식'에 어긋나더라도 추진했습니다. 대부분의 경우 아무 저항이 없었다고 합니다. 그들의 행동이 분위기

바보들은
항상
결심만 한다

를 이끈 것입니다. 물론 이 말이 조직에 반하여 행동하라는 의미는 아닙니다. 당연히 책임감이 뒤따르지 않는 행동은 경솔한 행동입니다. 다만 조직과 당신 자신을 위해, 당신의 업무에 최선을 다하는 자세는 획기적인 결과를 가져올 수 있습니다.

당신 능력의 가치가 어느 정도인지 확인하라

비즈니스계에 커다란 변화가 진행중입니다. 흔히 사람들이 '프리 에이전시'라 부르는 것이 바로 그것입니다. 이것은 고용 계약상의 큰 변화를 의미합니다. 우리는 이제 어느 한 고용주를 위해 평생을 바쳐 일해야 한다고 생각하지 않으며, 고용주 역시 한 피고용인이 자기 기업을 위해 평생을 바치리라 기대하지 않습니다. 어떤 사람들은 이것이 사람을 처분 가능한 물건쯤으로 인식하는 것을 의미한다고 생각하지만, 실제로는 우리 시대가 새로운 종류의 교환 시대로 진입했음을 의미하는 것입니다. 이런 말을 생각해 보십시오. "나는 그 기업에 내 기술과 에너지를 쏟아 당장의 결과를 보여주겠다. 대신 나는 그에 걸맞는 상당한 보수와 훌륭한 근무조건을 기대한다." "나는 그 기업의 성공을 위해 노력하겠다. 대신 나는 회사가 나의 미래를 위해 투자해주기를 원한다. 가령 은퇴 수당이나 나의 발전을 위한 여러 혜택 조건들 말이다."

당신과 당신이 일하는 기업 사이의 가치 교환에 관해서는 조건을 분명히 해두는 것이 중요합니다. 물론 이런 교환에서 열쇠가 되는 부분은 당신의 능력입니다. 즉, 당신의 지식, 기술, 가치입니다. 이런 것이 기업에게는 자산이 됩니다. 급여는 이 자산에 대한 기업의 자체 평가를 반영합니다. 따라서 당신의 능력이보다 큰 시장에서 얼마만큼의 가치를 지니고 있는지 파악하는 것이 변화의 세계에서 인정받는 사람이 되는 길이기도 합니다. 그런데 안타까운 것은, 자신의 능력이 공개 시장에서 어느 정도 가치가 있는지 아는 사람이 별로 없다는 사실입니다.

당신 능력의 가치를 확인할 수 있는 방법 가운데 하나는 같은 직종의 기업 채용 광고들을 살펴보는 일입니다. 그리고 같은 직종의 다른 기업의 사람들과도 많은 대화를 나누면 좋습니다. 이것은 급여가 낮으면 당장 그만두거나, 임금 협상을 벌여 더 높은 급여를 받아내라는 것이 아닙니다. 바로 이 세상에서 당신 능력의 가치가 어느 정도인지 찾아내라는 것입니다. 당신 능력의 가치를 제대로 알아야 변화 속에서 능력 있고 자산이 풍부한 존재로 인정받을 수 있는 것입니다. 또한 그럴 때 당신

바보들은
항상
결심만 한다

은 당신의 목소리를 내고 아이디어를 제시할 때 더 큰 자신감을 가질 수 있습니다.

당신이 스스로를 작은 사람으로, 중요하지 않은 사람으로 생각해 봐야 아무런 득이 안 됩니다. 물론 자신의 가치를 과대평가해서도 안 됩니다. '있는 그대로 공정하게' 이것이 열쇠입니다. 당신 능력의 가치를 알아내십시오. 직장에서 당신의 가치를 확인하십시오. 그리고 바로 그곳에서 변화를 관리하고 변화에 영향력을 행사하십시오. 당신이 능력에 비해 낮은 임금과 낮은 가치로 평가되고 있다면 당신의 기술을 더 잘 활용하고 인정 받을 수 있는 업무가 무엇인지 찾아내십시오. 그것도 소용이 없을 때는 당신의 가치를 인정해주는 곳을 찾으십시오. 당신이 언제든 그만둘 수 있다는 선택권을 쥐고 있을 때, 혹 그냥 머무르기로 결정을 내렸어도 변화를 위한 더 많은 에너지를 발산할 수 있습니다. 이것이 '새장 문 열어놓기'의 의미입니다. 새장 문을 열어 놓으면 새는 언제든지 날아갈 수 있습니다. 그러나 일단 계속 머물기로 결정을 내리면 예전과는 달리 더 맑고 고운 목소리로 노래를 부릅니다. 관리자와 기업 소유자의 관점에서 봐도 이것은 명백한 사실입니다. 온 정성을 다한 충성은 선택에 바탕을 둔 것입니다.

변화를 어떻게 보느냐의 문제는 시간을 어떻게 보느냐에 달려있습니다. 우리가 과거도 미래도 없이 현재에만 산다면 변화는 문젯거리가 안 됩니다. 왜냐하면 그것이 변화라는 사실을 인식하지 못하기 때문입니다. 전적으로 현재에만 산다는 것은 기억의 능력을 전부 상실한 사람들의 유일한 선택일 수밖에 없습니다. 주로 '과거' 만을 생각하는 사람에게 변화는 괴롭고 무서운 것일 수 있습니다. 우리가 '미래' 라는 차원을 하나 더 보태고, 삶과 일을 끝없이 전개되는 사건과 기회로 볼 때 변화는 무서움의 표정을 지워버릴 수 있습니다. 이런 이유로 이따금 변화무쌍한 미래 시나리오 속에 자신의 모습을 상상해보는 일이 중요합니다.

미래를 생각함으로써 변화에 앞서 나갈 수 있습니다. 그래야 변화가 충격으로 다가오지 않고, 극단적인 반발이나 쇼크를 일으키지 않습니다. 미래에 대한 당신의 전망이 정확한 것이든 아니든 상관없습니다. 문제는, 미래는 분명 현재와 다르다는 것을 받아들이는 것입니다. 그리고 이것이 당연한 사실임을 인정하는 것입니다.

오늘은 잘 돌아가는 모든 요소들이 '당신' 의 미래에는 커다란 동요와 소란 속에 어긋날 수도 있다는 것을 똑바로 인식해야 합니다. 무엇이 당신의 일과 삶에 긍정적인 효과를 가져다주고, 무엇이 부정적인 효과를 초래할지 생각해 보십시오. 그리고 가능하면 다른 사람들의 미래에 대한 시각에도 마음의 문을 열고 들여다보십시오. 당신이 종사하고 있는 업종과 직업에 관한 글도 읽고, 특히 미래 전망 예측서에 더욱 관심을 가지십시오.

이 변화하는 세계 속에서 일 년 후의 당신의 모습, 2년 후, 5년 후, 그리고 더 먼 앞날의 모습을 상상해 보십시오. 주변의 어떤 조건들이 달라질 것인가? 그 앞날의 세월을 당신은 어떻게 바라보고 어떻게 느낄 것인가? 어떤 지식, 기술, 가치가 필요할 것인가? 그때에 어떤 일을 하고 싶은가? 큰 꿈을 가지십시오. 그러나 그 꿈이 너무 크면 그것을 실현하는 데 그만큼 더 큰 에너지가 필요하다는 점을 명심해야 합니다. 꿈은 크게 가지되 당신의 능력 안에서, 그동안 발전시킨 능력의 기반 위에서 키워가도록 하십시오.

이런 모든 문제들을 뒤에서 견인하는 것이 하나 있습니다. 그것은 '삶의 목적이 무엇인가?' '왜 당신이 여기에 있는가?' 하는 것입니다. 이 질문에 대한 대답을 당신이 하는 일과 접목

시킬 때, 미래의 일을 삶의 목적을 구현하는 하나의 방법으로 생각할 때, 당신은 엘리트 집단의 구성원이 될 수 있습니다. 그럴 때 변화를 당신 삶의 한 부분으로, 아니 당신의 삶 자체로 보게 될 것입니다. 그리고 당신은 어느 곳에 있든지 능력 있는 주자가 되어 변화의 세계를 헤쳐 나갈 것입니다.

네트워크를 개발하라 타인들과 단절되어 있는 사람들은 종종 막다른 골목에 처한 자신의 모습을 발견하게 됩니다. 그들은 변화가 닥쳐도 오직 혼자만이 대처해야 하기 때문에 큰 어려움을 겪게 됩니다. 직장은 사회 시스템의 하나입니다. 직장은 관계와 대화의 네트워크입니다. 변화는 어떤 식으로든 모두에게 영향을 미칩니다. 우리는 네트워크 속에 있는, 동료와 함께 있는 우리 자신을 보아야 합니다. 그런 식으로 본다면 우리의 선택을 늘릴 수 있습니다. 그럴 때 우리는 학습과 지원의 바탕도 넓힐 수 있으며, 변화가 닥쳐와도 그것이 '나'의 과제가 아니라 '우리'의 과제가 됩니다. 그때 우리는 혼자서 일을 처리할 필요가 없다는 느낌을 받으면서 함께 있다는 생각을 하게 되는 것입니다.

우리가 다른 사람과 연결되어 있을 때 우리는 변화의 징후나 새로운 과제, 새 아이디어, 새로운 추세에 관한 징후도 일찍 발견할 수 있습니다. 그리고 다른 사람들의 에너지와 비전도 들여다보고 함께 활용할 수 있습니다.

우리가 보다 큰 네트워크상에서 다른 사람의 신뢰를 받고 또 다른 사람을 신뢰할 때 선택 범위는 넓어집니다. 어떤 프로젝트가 시작될 때 당신의 관심사항과 기술을 알고 있는 누군가가 그 프로젝트 팀에 당신을 추천할 수도 있습니다. 일의 범위가 넓어지면서 누군가가 당신을 후보로 추천할 수 있는 것입니다. 충격적인 구조조정이 시작되더라도 네트워크 속의 다른 동료들이 일자리를 구하는 데 도움을 줄 수 있습니다. 혹은 당신에게 자문을 구할 수도 있습니다.

그런데 사람들이 당신을 개인적으로 알지 못하면, 또 당신을 신뢰하지도 않고 당신의 가치를 인정하지 않는다면, 이런 모든 일들은 일어나지 않습니다. 필요한 것은 시간과 에너지의 투자입니다. 당신이 무엇을 할 수 있으며 무엇을 하고 싶은지, 다른 사람들과 관계를 형성하며 대화할 필요가 있습니다.

당신이 같이 협력하고 싶고, 당신의 진로 결정에 영향을 미칠 수 있으면서 미래의 성공에 도움이 될 만한 정보와 전망을 가진 사람을 10명에서 20명 정도 골라 명단을 작성해 보십시오. 그리고 그들을 찾아가서 그들과 대화를 나누십시오. 같이 커피를 마시러 가기도 하고 사소하고 개인적인 얘기를 나누어도 좋습니다.

무언가를 배울 수 있는 사람, 당신에게 도움을 줄 수 있는 사람을 찾아보십시오. 그들을 만나고 서로 관계를 맺으십시오. 당신을 드러낼 수 있는 프로젝트에 참여하십시오. 보다 참신한 아이디어와 관계 속에서 활기 넘치는 사람이 되기 위해서 할 수 있는 일은 무엇이든 하십시오.

적극적인 학습 목표를 세워라

우리는 늘 배웁니다. 배움은 죽는 날까지 계속됩니다. 배움은 삶 그 자체입니다. 그리고 배움은 여러 행태로 이루어집니다. 한 가지 분명한 것은 학습은 삶의 한 과정이라는 사실입니다. 학습은 성장입니다. 학습은 삶과 일에서 우리가 직면하는 다양한 문제들에 대한 호기심, 물음, 혼란, 그리고 문제해결 중심의 접근방법 등을 통해 그 스스로 표출되는 창조적 에너지입니다.

학습은 삶의 자연스러운 한 부분입니다. 그것은 거창한 계획

바보들은
항상
결심만 한다

과 의식을 요구하지 않습니다. 그러나 우리가 의식과 개혁을 학습에 적용할 때 놀라운 일이 발생할 수 있습니다. 사람들은 새로운 기술을 배우고, 새로운 진로를 따라 걸어다닙니다. 사람들은 연설의 불안과 두려움을 극복할 계획을 세우고, 급기야 연습과 의지를 통해 청중들의 마음을 사로잡습니다. 사람들은 고등학교를 마치고 대학에 가고, 중년이 넘어 박사학위를 따기도 합니다. 작은 사업체를 운영하면서 금융과 시장 전문가에게 자문을 구하지만, 그러면서 다른 사람들에게 새로운 일자리를 마련해주기도 합니다.

작게나마 – 그러나 이것도 매우 중요합니다 – 사람들은 자신이 하는 일을 더 잘하는 데 도움이 되는 새로운 방법과 새로운 절차, 새로운 기술을 배웁니다. 그리고 그 새로운 것들을 제대로 습득할 때까지 연습하고 계속 노력합니다. 수업도 듣고, 책도 읽고, 자기 혼자 공부도 하고, 인터넷 세미나나 사이버 강좌를 찾기도 합니다.

당신은 바로 이런 학습 그물망의 한 부분입니다. 필요한 자원과 지원은 어느 곳에서든 다 찾을 수 있습니다. 과감하게 배우고 싶은 것을 선택하고, 그것을 파고들어 당신 것으로 만들어야 합니다. 당신이 배움을 계속하는 한 그곳에 삶이 있습니

다. 학습을 세심하게 계획하고 선택할 때 당신 운명의 주인공
이 됩니다.

많은 대기업에는 인적 자원부 혹은 인사과 같은 부서가 있어
그러한 학습의 과정을 디자인하고 관리합니다. 그런 과정이 운
영되고 있다면 어떻게 해서든지 활용해야 합니다. 그러나 운전
석에 앉은 사람은 다른 사람이 아니고 바로 당신이라는 사실을
잊지 마십시오. 자기 관리를 다른 사람에게 떠넘겨서는 안 됩
니다. 인적 자원 관리부서나 경영진, 혹은 다른 누구에도 넘겨
서는 안 됩니다. 다른 사람의 동의를 구해야 하고 지원을 받아
야 한다면 그렇게 하십시오. 그러나 미래의 일을 디자인하거나

스스로가 자신의 인적 자원 관리자가 되어라

당신 일의 목표, 당신 자신의 피드백, 당신 자신의 학습, 당신의 경력, 당신의 선택 등 당신 자신과 관련된 모든 일은 스스로가 관리해야 합니다. 비록 원하는 방향대로 이루어지지 않더라도 그렇게 한다면 조직 내에서 힘 있고 의식 있는 사람으로 대접받을 것입니다. 그리고 그런 당신은 개인의 책임과 능력의 새로운 문화를 창조하는 데 크게 기여하게 될 것입니다.

네 번째 행동
자신의 변화 과정은 자신이 책임지자

우리가 살면서 맞닥뜨리게 되는 변화의 종류에 대해 다시 한 번 생각해 봅시다. 나이 들어 늙는 것처럼 거역할 수 없는 변화가 있습니다. 사업을 재편하는 것처럼 자신의 의지가 아닌 다른 사람의 결정에 의해 시작된 변화도 있습니다. 시간이 흘러 자연스럽게 시작된 변화도 있습니다.

아이들이 성장해서 집을 떠나게 되는 경우, 우리가 시작하는 새 프로젝트가 시간이 지남에 따라 낡은 것이 되고 따라서 바뀌야 될 경우, 우리가 나이가 들어감에 따라 어쩔 수 없이 바뀌는 생활 방식 등이 그런 변화들입니다. 그리고 우리가 결정을 내리는 변화도 있습니다. 결혼, 이사, 직장을 옮기는 일 등이 그 것입니다.

이런 모든 변화들은 설혹 그것이 우리 자신의 결정에 의한 변화라 하더라도 우리에게 불안과 걱정을 안겨줍니다. 이와 같은 변화에 대한 인간의 반응을 심리학자들은 인간이 맹수와 자연의 변화로부터 끊임없이 위협을 받았던 석기 시대부터 비롯된 것이라 하면서 이렇게 얘기합니다. "우리 인간의 반응은 예로부터 맞서 싸워 방어하든지, 도망가든지, 아니면 꼼짝 않고 순순히 따르든지 하는 것이었다."

오늘날, 가장 일반적인 반응은 순응일 것입니다. 오늘날은 우리 조상들이 생명을 위협하는 위험과 맞서 싸워야 했던 석기 시대와는 분명 다릅니다. 그래서 그런지 많은 사람들이 순응의 방법을 택하고 있습니다. 다른 선택이 없다는 생각에 그냥 대세에 따르는 것이 보통입니다. 자신을 방어하거나 도망가는 대신에 서서히 자신의 영혼을 죽이는 방법을 선택합니다. 변화가 우리 영혼과 우리가 속한 조직을 위협하는 상황에서 흔히 택하는 방법이 바로 순응인 것입니다.

변화를 어떻게 볼 것인지, 즉 변화를 생각하는 방식에 몇 가지가 더 있습니다. 그 방식들을 잘 알아두면 변화가 닥쳤을 때 실제로 일어나고 있는 일이 무엇인지, 그것을 우리가 제대로 파악하는 데 도움이 될 수 있습니다. 그러면 우리 자신이 스스로를 더 가다듬고 인내하게 되고, 따라서 무의식적으로 무턱대고 맞서 싸우거나 혹은 도망가거나 아니면 맹목적으로 순응하는 일이 줄어들게 될 것입니다. 그리고 변화를 바라보는 방식들을 잘 알아두면 우리 자신의 변화 과정을 스스로가 책임지고, 또 그에 맞추어 움직이는 데 더 큰 자신감을 얻을 수 있을 것입니다.

슬픔의 주기 1960년대에 엘리자베스 퀴블러 로스(Elizabeth Kubler Ross)라는 한 심리학자가 주목해서 관찰한 것이 하나 있습니다. 그것은 죽어가는 사람이나 사랑하는 사람을 잃은 사람들이 죽음과 관련해서 겪는 공통의 주기적인 반응입니다. 나중에 그 심리학자는 어느 종류든 중대한 상실(직장을 잃는 경우, 아이가 집을 떠나는 경우, 중대한 프로젝트의 실패, 혹은 익숙한 업무 환경의 상실 등)이 불러일으키는 반응이 다음과 같다는 사실을 확인했습니다.

첫째, 변화를 부인한다.("그 사람은 죽지 않았어." "우리 결혼 생활은 끝난 게 아니야." "이런 변화는 잠시 뿐이야. 일시적이라고.")

둘째, 화를 내고 비난을 퍼붓는다. 이런저런 방식으로 덤벼든다.(책임 있는 위치에 있는 사람이 사악한 동기에서 그러는 거라고 비난하거나 변화를 방해하고, 협조를 거부하며, 동조 세력을 규합하여 저항에 나선다.)

셋째, 거래를 시작한다.("하나님, 사랑하는 그녀를 다시 살려주신다면 제가 무슨 일이든 하겠습니다." "우리가 더 열심히 한다면 아마 그들이 우리 부서를 팔아넘기진 않을 거야.")

넷째, 그 다음엔 슬픔과 우울의 시기로 들어선다. 활기도 없어지고 의욕도 상실한다.

그 다음 우리는 계속 그 상태에서 벗어나지 못하거나 아니면 변화를 받아들이면서 앞을 내다보기 시작하고, 그 변화에 참여하기 위해서 해야 할 일이 무엇인지 생각한

바보들은
항상
결심만 한다

부인

화/비난

인정/ 새 출발

슬픔/우울

타협

다. 그리고 새로운 상황에서 배울 것은 배우며 현실에 맞춰 살도록 노력한다.

예전에 당신이 큰 변화를 경험한 적이 있다면 그 변화를 한 번 생각해 보십시오. 아마 당신도 이 비슷한 주기(부인, 화, 타협, 우울, 인정과 새 출발)를 거쳤을 것입니다. 그리고 많은 사람들이 겪었듯이 이런 감정의 주기를 거치는 것이 살아가는 데 중요하다는 사실도 알게 되었을 것입니다. 이런 감정의 변화를 거부하는 사람들은 더더욱 괴로워하며 비통함 속에서 헤어나지 못하거나, 지나가버린 과거를 완전히 떨쳐버리지 못하고 마냥 슬픔에 잠겨 있을 뿐입니다. 이런 사람들이 다음에 또 다른 상실을 겪게 되면 그때는 더욱 극복하기가 어려워집니다.

이유가 무엇일까요? 그것은 새로운 상실감이 과거의 아물지 않은 슬픔을 다시 들춰내기 때문입니다. 따라서 심리학자들은 필요하다면 "때맞춰 자기 숲을 불태우는 것"이 중요하다고 말합니다. 모든 변화나 상실을 있는 그대로 겪어내라는 뜻입니다. 그렇지 않으면 타지 않은 나무들이 나중에 더 큰 화재를 초래할 수 있다는 것입니다. 변화가 일상적인 것이 되어버린 시대에 굳이 나중에 큰 불을 피우겠다고 장작을 쌓아두는 우를 범하지 말라는 것입니다.

다른 사람들도 마찬가지겠지만 이 슬픔의 주기는 잘 알아두면 크게 도움이 된다고 생각합니다. 그래야 혹시 그 주기에 들어 감정의 변화를 겪더라도 그것이 '비정상적인 일'이 아니라고 느낄 수 있지 않겠습니까.(물론 그 주기 속에서 슬픔과 고통의 쓰라림을 맛보겠지만 말이다.)

영웅의 길 우리 모두는 인생을 여행하는 중입니다. 사실 우리는 변화무쌍한 삶의 단계를 무사히 지날 수 있는 능력이 있습니다. 살아가는 동안 우리의 지적·정서적 능력은 계속 발전합니다.

하지만 우리는 선택을 해야 합니다. 발전 과정에서 우리는 스스로가 동조의 힘이 될 수 있고, 중립적인 태도를 취할 수도 있고, 혹은 적대자가 될 수도 있습니다. 신화학자이자 철학자인 조셉 캠벨(Joseph Campbell)은 우리가 이런 선택을 하게 될 때 어떤 일이 일어날 것인지 연구하는 가운데 인간의 진실을 신화와 설화 속에서 찾아냈습니다. 다음은 전 세계의 많은 신화를 연구한 끝에 그가 내린 결론 몇 가지를 간추려 본 것입니다.

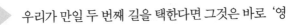 인생에서 우리는 두 가지 큰 선택 가운데 하나를 택해야 한다. 그것은 안정을 추구할 수 있고 아무런 의심 없이 규칙을 따르는 '오른손의 길' 을 택할 것인가, 아니면 위험스럽긴 하지만 뭔가 새로운 것을 만들어낼 수 있는 창조적인 삶을 살면서 '더 없는 행복' 의 길을 택할 것인가 하는 문제이다.

우리가 만일 두 번째 길을 택한다면 그것은 바로 '영

웅의 길'이다. 이 영웅의 길로 떠나는 여행에서 우리는 다음과 같은 일을 해야 한다.

- 변화를 '모험으로의 초대'로 보라. 즉, 변화를 다른 방식으로 사물을 보고 탐구해야 한다는 하나의 과제로 보는 것이다. 가령 옛날 민담에서처럼 "어두운 숲 속으로 들어가는 일"이나 오디세우스처럼 미지의 세계로 항해하는 것이 이런 것이다.

- 필요하다면 도움을 받아들여라. 신화나 설화에는 모험의 길에서 위장을 하고 나타나 주인공에게 도움을 주는 많은 신과 여신, 요정, 현명한 조언자 등이 있다.

- 우리가 아무런 힘을 행사할 수 없는 곳에서 마주치는 도전과 시련에 당당히 맞서라. 물론 생명의 위협을 받을 수도 있지만 두려워 해서는 안 된다.

우리 삶에 중요한 지식과 지혜는 우리가 불확실한 시간과 공간의 영역으로 들어서야 찾을 수 있는 경우가 많습니다. 진정으로 우리가 무엇을 배우고 성장할 수 있는 유일한 길은 미지

바보들은
항상
결심만 한다

의 세계로 들어가 사심없이, 마음의 문을 활짝 열고 새로운 것을 시도하는 일일 것입니다. 예전에 당신이 읽었던 모험 이야기를 생각해 보십시오. 불확실성, 시련, 모험과 시험이 우리를 더욱 강하게 만들고, 우리에게 새로운 삶의 영역으로 들어서는 문을 활짝 열어준다는 사실을 깨닫게 될 것입니다.

▶ 권력이나 힘을 사용하되 책임 있게 사용하는 법을 배워라. 모든 신화가 우리에게 주는 가장 중요한 교훈이 아마 이것일 것이다. 우리 모두는 각자 힘과 권력을 지니고 있다.(오늘날에는 더욱 그렇다. 한 사람이 전 세계의 컴퓨터 망에 바이러스를 침투시킬 수 있다는 사실만 봐도 그렇다.) 신화 속의 영웅들은 자신의 권력과 힘을 찾아 자기 것으로 만들어야 한다. 그리고 그들은 엄청난 시련과 시험에 맞서야 한다. 그러면서도 따뜻한 마음과 현명한 지혜의 정신을 잃지 말아야 한다. 그렇게 해야 그들은 새로운 영역으로 들어설 수 있다. 신데렐라가 성으로 들어서고, 오디세우스가 그의 왕권을 되찾는 것이 바로 이런 것이다.

▶ 자신이 개인적으로 터득한 교훈을 다른 사람에게 전

파하라. 무엇을 배우는 것과 자신이 배운 것을 다른 사람에게 가르쳐주는 일은 별개의 문제이다. 우리가 영웅의 길로 들어설 때 마주치게 되는 재미있는 과제는 이런 것이다. "내가 배운 것을 다른 사람에게 전달할 것인가? 그렇게 할 만한 에너지와 마음과 용기가 있는가?" 어떤 사람들은 자기가 배운 것을 다른 사람에게 가르쳐주지 않는다. 그들은 영웅의 길의 이 마지막 관문에 들어서지 않는 사람들이다.

주류의 길/주변의 길 영웅의 길에 한 마디 덧붙이면 영웅의 길이 전개되는 방식은 한 조직의 구성원인 당신이 권력이나 힘을 행사할 수 있는 위치(주류 집단)에 있는가 아니면 아무런 혜택을 누리지 못하는 단순한 구성원에 불과한가(주변 집단)에 따라 사뭇 다릅니다. 성별, 인종, 교육, 배경이나 사회적 지위 – 이 모든 것들이 당신이 인사이더냐 아웃사이더냐를 결정하는 데 영향을 미칩니다. 또한 이런 것들이 공식적인 리더십 위치에 오르는 일이 비교적 수월한가 아니면 어려운가를 결정하는 데도 영향을 미칩니다.

'주류' 집단에 속한 사람들의 과제는 그들이 본디 타고난 자신의 권력에 잘 어울리는 사람이 되어야 한다는 것입니다. 신

영웅의 길

화 속의 영웅인 오디세우스의 이야기가 대표적인 예입니다. 그는 왕이 될 운명이었습니다. 그러나 그는 왕이 되기 위한 도덕적 권리를 스스로의 힘으로 얻어내야 했습니다. 이것이 바로 오디세우스 이야기의 핵심입니다!

'주변' 집단에 속한 사람들 – 왕으로 태어나지 못한 사람들 – 의 경우는 그들이 해야 할 과제와 걸어가야 할 길이 다릅니다. 그들은 우선 '주류 집단'이 하는 식으로 일을 처리하도록 노력해야 합니다. 예를 들어 어느 한 여성이 조직 내에서 성공하기 위해 매우 합리적이고 권위적인 사람으로 바뀌었습니다.

그래서 그 여성은 높은 지위에 오를 수 있었습니다.

이를테면, 그 여성이 '전통적인 남성 리더들처럼' 행동했기 때문에 성공을 거둘 수 있었던 것입니다. 그러나 오늘날 많은 여성들이 느끼듯이, 그 여성은 자신의 정체성을 잃고 말았습니다. 그러다보니 스트레스를 받고(전 세계 여성들이 남성들보다 더 많은 스트레스를 받는다.) 국외자가 된 듯한 느낌을 받습니다. 그리고 종종 '영웅의 길'을 택해야 하고 다른 곳의 전통적인 리더들처럼 행동해야 한다는 압박을 받게 되면 그 조직을 떠나고 맙니다.

그런 다음에 그녀는 자신의 여성적인 요소 – 아이를 돌보는 능력이나 직관적인 능력, 주변을 챙기는 능력 등 – 를 되찾게 됩니다. 그리고 예전에 지니고 있었던 권위적인 기술과 능력을 이 여성적인 능력과 잘 결합시키는 방안을 찾으려 노력하게 됩니다.

인종이나 연령 등의 문제로 '주변' 집단으로 내몰린 사람들의 경우도 마찬가지입니다. 영웅들(서구의 개념으로 백인을 일컫는다.)의 경우도 예전과는 달리 다양성을 수용하는 태도로 변화해야 합니다. 즉, '주변적인' 가치나 견해도 자신들의 행동, 삶, 의식 속에 통합시킬 수 있어야 합니다.

224

오늘날의 위대한 영웅은 폭 넓은 사고와 감수성을 지닌 사람들입니다. "모든 사람이 자유롭지 않는 한 어느 누구도 자유로울 수 없다."라고 프랭클린 루스벨트가 말했듯이, 자유의 본질은 변화에 동참하고 변화에 영향을 미치는 능력에 있습니다.

정보화 시대의 첫 단계를 지나 그 다음 단계로 들어서는 이 시점에서 중요하고 필요한 일은 모든 목소리를 통합하는 일입니다. 우리가 일상생활에서 일어나고 있는 작은 변화들을 보면서 느끼는 것은 그것이 전 세계적으로 일어나고 있는 보다 큰 변화의 틀에 속해 있다는 사실입니다.

결국 따지고 보면 개인적인 측면에서는 '주류' 집단에 속하든 '주변' 집단에 속하든, 그것은 중요하지 않습니다. 비록 각 집단이 직면한 문제가 아무리 다르다 하더라도 어디든 해야 할 과제는 똑같이 있는 것이고, 그것에 대한 열정 또한 마찬가지입니다.

영웅의 길은 개인적인 변화의 과정과 과제 이상의 것입니다. 남성이든 여성이든, 부자든 가난한 사람이든, 흑인이든 백인이든, 우리 모두가 변화 속에 살며 변화에 동참하기를 이 시대가 요구하고 있습니다. 캠벨이 말하듯, 우리 모두는 모험의 길로 초대된 사람들입니다. 그러니 오해에서 비롯된 두려움, 다른 삶에 대한 두려움이 우리 자신의 삶을 방해하고 나선다면 그것은 얼마나 슬픈 일이겠습니까?

바보들은
항상
결심만 한다

결론

우리가 우리 주변의 세계를 통제할 수는 없어도 변화 과정 속의 우리 자신을 책임질 수는 있습니다. 아니면 적어도 변화 속에 놓인 우리 자신을 이해할 수는 있습니다. 그러나 그러기 위해서는 변화의 심리와 인생에서 변화의 역할을 이해해야 합니다. 그리고 격변하는 시대에 우리가 정신을 차리고 삶을 효율적으로 영위하기 위해 취해야 하는 행동이 무엇인지도 제대로 알아야 합니다.

다음의 네 가지 행동이 바로 변화의 세계에서 성공을 거두기 위해 우리가 취해야 하는 행동입니다.

내 자신이 하나의 기업이 되자

당신 스스로를 상품과 서비스를 파는 하나의 작은 기업, 〈당신의 주식회사〉로 생각하라.

228

바보들은
항상
결심만 한다

정보화 시대의 기술을 개발하라

당신의 커뮤니케이션 능력, 문제해결 및 의사결정 능력, 사고력, 학습 및 교수 능력, 금융지식 등을 더욱 높이고 개발하라.

자신의 인적 자원 관리자가 되어라

다른 사람의 지원도 얻고 정보도 얻어라. 그러나 당신 자신의 자기개발, 경력 관리, 소속 팀의 과제 등을 다른 사람에게 떠맡기지 말자.

자신의 변화 과정은 자신이 책임지자

변화의 역동성을 이해하고, 그것을 활용하여 변화에 능률적으로 대처할 수 있도록 하자.

기억해야 할 것은, 변화는 모든 사람의 비즈니스이고, 바로 당신의 비즈니스라는 사실입니다!!

당신의
행동 지수는?

다음은 위에서 언급한 네 가지 행동에 필요한 기술들을 서술한 것입니다. 각각의 항목에 해당하는 점수를 적으십시오.

1=가장 큰 약점

2=작은 약점

3=약점도 강점도 아님

4=어느 정도의 강점

5=큰 강점

A: 내 자신이 하나의 기업이 되자

_____ 1. 내가 제공할 수 있는 상품, 서비스, 정보가 무엇인지 알고 있다.

_____ 2. 나는 매우 생산적인 사람으로, 관련이 없는 업무는 하지

않는다.

_____ 3. 정기적으로 목표를 설정하고, 내 업무의 영향을 받는 사람에게서 계속 피드백을 받는다.

_____ 4. 나에게는 일을 처리하고 문제를 해결하는 데 도움을 주는 강력한 네트워크가 있다.

_____ 5. 미래를 생각하고, 미래를 준비한다.

_____ 6. 내 자신의 핵심 능력이 무엇인지 잘 알고 있으며, 그것을 끊임없이 개발하고 있다.

_____ 7. 장·단기 이익과 목표를 동시에 추구한다.

B: 정보화 시대의 기술을 개발하라

_____ 8. 다른 사람과 함께 일을 하며 상호 관계를 형성하고 공개적으로 상호 아이디어와 정보를 교환한다.

_____ 9. 문제해결과 의사결정 능력이 뛰어나다.

_____ 10. 그때그때 효과적인 사고방식(비판적·창조적·체계적 사고 능력)을 활용하여 상황에 대처한다.

_____ 11. 나는 지식, 기술, 개인적인 특성 등을 활용하고 공유하는 뛰어난 학습자이자 교사이다.

_____ 12. 경영의 기본지식을 이해하고 있으며, 금융정보를 제대

로 해석할 수 있다.

C: 자신의 인적 자원 관리자가 되어라

_____ 13. 내 자신의 책임과 의무를 분명히 알고 있으며, 늘 신경 쓴다.

_____ 14. 내 지식과 기술을 정기적으로 검토하고, 미래에 필요한 지식과 기술에 대한 전망도 세운다.

_____ 15. 내 기술이 시장에서 어느 정도 가치 있는 것인지 잘 알고 있다.

_____ 16. 앞으로의 동향에 관한 글도 읽고 대화도 나눈다. 앞으로 있을 변화가 나와 나의 미래에 어떤 영향을 미칠지 생각한다.

_____ 17. 나와 나의 일, 나의 미래에 지원을 아끼지 않을 인적 네트워크 개발에 적극적인 편이다.

_____ 18. 나에게는 적극적인 학습 목표가 있다. 나는 내가 배우고자 하는 것이 무엇이고, 그에 필요한 자료가 어디에 있는지 잘 알고 있다. 하루에 단 10분이라도 나는 내 학습 영역을 확대하는 데 할애한다.

D: 자신의 변화 과정은 자신이 책임지자

_____ 19. 달아나고 싶거나 방어적인 태도를 취하고 싶을 때 나는 뒤로 물러서서 상황 전체를 관찰하여 건설적으로 대응할 수 있도록 한다.

_____ 20. 뭔가 중요한 것을 잃었을 때 나는 내 감정을 건설적인 방향으로 표출한다. 또 큰 변화에 적응하려고 노력한다.

_____ 21. 다른 사람이 변화를 겪고 있을 때 그 사람을 지원한다.

_____ 22. 나는 스승이나 자문위원들의 지지를 얻어 그것을 활용한다.

_____ 23. 특권이나 권력이 있는 지위에 있으면 모든 사람을 다 참여시키고 의무를 다하게 한다.

_____ 24. 소수의 입장에 있을 땐 내 아이디어가 반영될 수 있는 건설적인 방법을 찾는다.

_____ 25. 나는 개인적인 변화의 힘을 이해하고, 내 자신과 다른 사람의 다양한 변화 단계를 인정한다.

다음 각 부분에서 가장 두드러진 강점 하나(4점 혹은 5점)와 약점 하나(1점 혹은 2점)를 골라 적으시오.

	강점	약점
A:	_____	_____
B:	_____	_____
C:	_____	_____
D:	_____	_____

· 당신의 변화 능력에 대해 어떤 결론을 내릴 수 있는가?

· 당신의 주요 강점은 무엇이고 약점은 무엇인가?

· 더 큰 이익을 위해서는 어떤 강점을 이용할 수 있을까?

· 당신이 개발하고 싶은 영역은 무엇인가?

바보들은
항상
결심만 한다

마지막 책장을
덮는
당신에게

21세기인 지금 변화는 모든 사람들의 비즈니스입니다. 우리들 대부분이 스스로를 작게만 느끼고 무력하게 느낄 때 오히려 더 큰 변화와 차이를 유발할 수 있다는 것은 얼마나 아이로니컬한 일입니까. 정보 기술과 주요 통치 형태로서의 민주주의의 등장은 부분적으로 개인이 이 새로운 힘을 지니는데 계기가 되었습니다.

어느 한 사람이 컴퓨터 바이러스를 전파하여 전 세계 비즈니스 망을 혼란에 빠뜨릴 수 있다는 사실을 생각해 보십시오. 혹은 화상 주주총회에서 솔직하게 의견을 개진하는 주주를 생각해 보십시오.

좁게는, 당신이 다니는 직장이나 일상 속의 어느 한 장소에서 일어난 변화를 생각해 보십시오. 그런 변화들의 근원을 추적하다 보면 결국엔 뭔가 다른 일이 일어나기를 원하는 소수의 사람에 의해 그 변화들이 일어났음을 알게 될 것입니다.

그리고 당신 주변의 변화 가운데 '좋은 방향의 변화'가 아닌 경우, 어느 용기 있는 목소리가 그 변화를 중단시켰는지, 혹은 방향을 재조정했는지 자문해 보십시오.

매일 우리는 자신의 입장을 분명히 밝혀야 합니다. 어떤 새로운 것을 따르거나 옛 것을 지지하는 일, 새로운 아이디어를 제시하는 일, 혹은 어떤 변화나 기회에 대응하는 일 등 나름의 입장을 분명히 해야 하는 경우가 늘 생기기 마련입니다. 그리고 대개의 경우 우리의 첫 반응은 습관적으로 저항적이거나 아니면 방어적인 것이 되기 십상입니다. 왜냐하면 그런 습관적인 반응 이외의 어떤 다른 반응을 하기 위해서는 에너지와 의식적인 사고가 필요하기 때문입니다. 따라서 처음에 대개의 사람들은 자동적이며 습관적으로 반응하며, 그렇지 않으면 리더 역할을 하는 사람들에게 떠맡기는 경우가 많습니다.

어떤 상황에서는 자동적이고 습관적인 방식으로 반응을 하며 변화에 저항을 하거나 변화의 책임을 다른 사람에게 떠맡기는 것이 적절한 조치일 수도 있습니다. 때로는 저항이 건설적

바보들은
항상
결심만 한다

인 반응인 경우도 있는 것입니다. 그러나 우리가 그런 식의 반응을 하며 시간을 낭비한다면 우리를 둘러싼 소중한 것들을 많이 잃어버릴 수가 있습니다.

인간으로서 우리는 변화의 대리인, 변화의 창시자가 될 수 있어야 합니다. 우리는 우리가 믿고 따를 수 있는 동향이나 운동에 박차를 가할 수 있습니다. 또한 우리 자신의 삶과 일, 그리고 주변 사람들의 삶에 분명한 변화를 가져다줄 수 있습니다.

이 모든 것은 사실 강한 행동을 뒷받침할 수 있는 어떤 신념체계가 있어야 가능합니다. 또한 이것은 우리가 용기 있게 행동할 수 있도록 도와주는 품성이 뒷받침되어야 합니다. 그리고 우리가 변화에 성공적으로 동참하는 데 필요한 행동과 기술을 알고 있다면 그 어떤 변화가 닥쳐도 능률적으로 참여하여 변화를 주도할 수 있는 것입니다.

나는 이 책에 제시된 아이디어나 견해로 당신이 강한 신념체계를 세우고, 변화에 적합한 용기 있는 품성을 개발하고, 변화에 적극적으로 참여하는 행동지침을 채택하는 데 큰 도움이 되리라 확신합니다. 그리고 각 장 마지막에 제시된 평가항목을 혹 읽지 않고 그냥 지나쳤다면 다시 한 번 돌아가 당신의 미래를 위한 통찰과 지혜를 얻었으면 합니다. 그리고 평가와 설문을 마쳤으면 시간을 두고 검토하고 생각하여 현재의 반응이 당신의 미래에 어떤 의미를 지닌 것인지 살펴보기를 권합니다.

직장이나 가정, 그리고 그 어느 곳에서든, 당신은 변화가 저먼 곳에 있는 것, 다른 사람에게나 해당되는 그 무엇으로 생각해서는 안 됩니다.

변화는 모든 사람의 비즈니스입니다!! 변화는 바로 당신의 비즈니스입니다!!

바보들은
항상
결심만 한다

지은이 팻 맥라건

옮긴이 윤희기

펴낸곳 도서출판 예문 펴낸이 이주현

주간 홍대욱 기획 정도준 마케팅 정병인 관리 최혜진

편집 한산규 · 박경순

등록번호 제5-477호 등록일 1995년 3월 2일

전화 765-2306 팩스 765-9306

주소 서울시 성북구 성북1동 184-5 신우빌딩 302호

http://www.yemun.co.kr

ISBN 89-5659-008-7   13320

초판10쇄 발행일 2003년 1월 20일